生きる

乙川優三郎
Otokawa Yūzaburō

文藝春秋

目次

題字　村田篤美
装画　篠原貴之
「夜明け」（二〇〇一年作）
装丁　坂田政則

生きる

生きる

一

（重五(ちょうご)には間に合うだろう……）

　それ以上眺めていると胸の中の小波(さざなみ)が荒れるような気がして、又右衛門(またえもん)はゆっくりと立ち上がった。空が低く、はっきりとしない天気の朝で、うそ寒い庭には初夏の日差しも感じられなかった。泉水の水辺には今年も菖蒲(あやめ)が群生し、細長い花茎を伸ばしているが、まだその先に紫の花は見えない。例年になく冬が長引き、その後も春らしい日が少なかったせいで菖蒲は十日余り育ちが遅れている。

　花のことはよく分からぬ又右衛門だが、久しく浪人だった父がようやく北国(ほっこく)の地で仕官を果たしたのが五月五日だったことから、菖蒲には深い印象とともに執着を覚えた。一瞬にして身の丈を超す籬(まがき)を飛び越えたかのように、その日から貧困と縁が切れたためかも知れない。

（これで人並みに暮らせる……）

当時の又右衛門は小四郎（こしろう）といって十三歳だったが、関ヶ原の戦いで敗軍となり、浪人となった父が再び食禄を得た喜びと安堵は、それまで暗澹（あんたん）たる思いで生きてきた少年の感想でもあった。以来、石田（いしだ）家では菖蒲を家の花として庭に植え、屋敷が替わる度に広くなる庭に移植してきた。果たして菖蒲は幸運をもたらし、石田家はいまでは十一万石の御家に仕える馬廻組（うままわりぐみ）五百石の家柄となった。その間には父母が亡くなり、又右衛門も我が子をひとり病で亡くしたものの、その後の人生はほぼ順風満帆にきたと言っていい。父の死と前後して望んでいた小姓組に召されたのも、ことのほか寵遇（ちょうぐう）されてきたのも、やはり菖蒲のお蔭であったような気がする。

父にしても、新参の家臣が古参、譜代を牛蒡（ごぼう）抜きにしながら怨嗟（えんさ）の的にならずに済んだのはただの幸運ではないだろう。人が人を利害で動かす力とは別の、何か不思議な力が働いたのではないか。それが菖蒲の力のように又右衛門には思われてならない。古来、菖蒲は邪気を払うという。

ともあれ、そうして石田家へ幸運を運び続けた菖蒲は、七年前に他家へ嫁した娘に男子が生まれると婚家へも届けられるようになった。それを理由に堂々と孫の顔を見にゆくのが、五十路を迎えた又右衛門の楽しみでもある。だが今年は六日の菖蒲になりかねないと思いながら、又右衛門は溜息をついた。いつかは幸運も尽きる日がくると覚悟はしてきたつもりだが、いざ菖蒲の異変を見ると不吉な予感がしたのである。

ひとつにはここ二年ほど江戸で病臥している藩主の容態（ようだい）が思わしくないこともある。今年で六十二歳になる飛騨守は又右衛門の父を召し抱え、その子の又右衛門も重く用いた人で、いまの石田家があるのは偏に飛騨守の恩顧によるものと言っても過言ではない。むろん、その恩に報いるために又右衛門は忠勤を励んできた。それがさらなる加増を生んで家を大きくすることにもなった。

だが、それだけに飛騨守が身罷ったときには、寵臣のひとりとして忠義と悲しみを形で表わさねばならぬだろうと又右衛門は思っている。そもそも飛騨守に拾われなければ一家は野垂れ死にしていたかも知れぬし、三十七年もの間、平穏にしかも豊かに暮らせただけでもありがたく思わなければならない。その日はいずれ必ず来るのだし、早いか遅いかの違いだけだろう。けれども健康な身でありながら妻子を残して死ぬとなると、心残りがないわけではなかった。

又右衛門には五百次という息子がいる。この年、十五歳になる、ただひとりの跡取りである。長男が五歳で病死した年に生まれた子で、ひときわ愛情をそそいだせいか闊達にはなったものの、反面、竹のようにまっすぐな気性の、つまりは折れることを知らぬ生真面目な男になってしまった。いまはそれでもいいが、いずれ城勤めとなったときに何かと周囲と揉めるのではないか。又右衛門はほぼ固まってしまった五百次の気性を考え、元服と同時にしばらく江戸へ遊学させるつもりでいたが、自分が死んだらそれもならぬだろうと考えている。妻女の佐和がこのところ病がちなこともあるし、そのときは五百次にはまず無事に遺知を継ぎ、当主の責任を果たしてもらわなければならない。だが、いまの五百次に家では奉公人の上に立ち、城では大勢の人の下になることができるだろうか。

それが気掛かりといえば気掛かりで、人の親なら誰でも案ずる類のことだが、死が身近なものになるにつれて、付け焼き刃の手助けは却って当人のためにならぬような気もしている。その眼で親の死を見れば、子は自ずと考え、変わるかも知れぬだろう。

（それで親の務めは果たしたことになりはしまいか……）

いつの間にかまた菖蒲を眺めながら思っていたとき、人の気配を感じて又右衛門は静かに振り返った。くすんだ朝の庭を足早に歩いてくるのは婢（はしため）のせきだった。せきは若くよく働く娘にしては小太りだがきびきびとした動きをするので、遠目にもすぐに分かる。又右衛門がそこで待っていると、せきはじきにやってきてこう言った。

「お嬢さまがお見えになりました、今日はお泊まりになられるそうです」

「けんが……」

ひとりか、と又右衛門は訊ねた。けんの夫は手廻頭としてこの二年ほど江戸屋敷に詰めているが、飛騨守の容態が案じられるときだけに、もしや急使として帰国したのではないかと思ったのである。だが、そうではないらしく、

「小四郎さまがご一緒でございます」

せきは明るい声で言って、又右衛門の相好が崩れるのを予期したように微笑した。その瞬間、又右衛門はもう歩き出していた。

孫の顔を見るのは、その年の年初に行き来して以来だった。

小四郎は又右衛門が居間に現われると、おじいさまと言って駆け寄ってきた。五歳のやんちゃ盛りだが、幼いなりに分別はあり、無作法は承知のうえで又右衛門には甘えることが多い。又右衛門は久し振りに小四郎を抱き上げて、ほう、また重くなったなと言った。

「小四郎、きちんとご挨拶をなさい」

「もうしてますよ、おとうさまにはあれが一番うれしいご挨拶でしょう」

居間には佐和とけんがいて、むかしと同じように決められた席に並んでいる。けんが嫁いでからというもの、多くて年に三度、見られるかどうかという光景に又右衛門は自ずと心が和むのを感じた。

「五百次が見えぬようだが……」

小四郎を連れて上座につくと、

「さきほど出かけました」

と佐和が言った。

「今日は剣術の試合があるとか申しておりましたが……」

佐和は体のどこが悪いというのではないが四十を過ぎたころから虚弱な質が現われ、まだ肌も艶々しいけんと並ぶと青白い顔が際立って見えた。

「早いもので五百次もじきに元服ですね」

けんは感慨深げに言ってから、おとうさまにはご無沙汰いたしております、と改めて挨拶を述べた。今日は又右衛門が非番と聞いていたので、佐和の見舞いかたがた菖蒲を見にきたということだった。が、それにしては事前に知らせも寄こさず、急な里帰りだった。

「そのことだが今年はどうもいかん……」

又右衛門は小四郎を母親へ返して、ひとくち茶をすすった。

「春先から陽気がおかしいせいだろう、未だに花ひとつ咲かせぬ」

「そういえば今年は桜も遅うございました」

「うむ、しかもさっさと散ってしまった……」

「………」

「ま、しかし、重五には間に合うであろう」

「ええ、きっと、これまで欠かしたことは一度もございませんもの……」

あとでわたくしも庭へ下りてみましょうと言って、けんは泉水のほうを眺めたが、途端に微笑の消えた顔には何かしら切実な思いが隠されているようだった。おそらく佐和も同じように感じたのだろう、ちらりと又右衛門を見た眼に不安の影が差し、そのときは小四郎だけが何が嬉しいのかにこにこと笑っていた。

「ところで、舅どのは達者か」

「はい、お蔭さまでこのごろはおひとりで釣りにも出かけられます、先日はそれは大きな山女（やまめ）を釣ってこられました」

　けんは切れ長の目を丸くして、ひときわ明るい声で答えた。それもどことなく不自然だった。果たしてこの数ヶ月の間にあったことを互いに告げ合い、昼餉をともにし、佐和が休むと、けんは話があると言って又右衛門の部屋へやってきた。

「いきなり訪ねてくるからには何かあるとは思っていた、姑どのと喧嘩でもしたかな」

　又右衛門はけんの気持ちをほぐすように言ってから、何かつらいことでもあったかと訊ねた。けんはこれといって大きな苦労を味わうこともなく育ったわりには辛抱強く、その意味では弟の五百次と違い、親に婚家の愚痴を言うような娘ではなかったので何事だろうかと思った。けんの舅の真鍋杢兵衛は隠居してにわかに耄碌したが、その分、姑がしっかりとしてい、彼らと似たような齢の又右衛門が思い付くのもせいぜいその姑との諍いのようなことだった。

「どうした、黙っていては分からんぞ」

　又右衛門はいくらかじれて言った。

「やはり姑どのか」

　すると、けんはようやく首を振り、力のない眼でちらりと又右衛門を見た。そして、やおら袂から封書を取り出して言った。

「昨日、江戸表より届きました、まずはご一読くださいまし」

　上書きの筆跡から手紙はすぐに夫の真鍋恵之助からのものと分かったが、又右衛門は夫婦の書簡を読むことに少なからず抵抗を感じて、よいのかと念を押した。あるいは娘夫婦の恥部を覗くことになるかも知れないという不安があったからだが、けんは、ご遠慮なくと言った。やはり力のない声だった。

けれども、重苦しい文面を想像して読みはじめてみると、恵之助の手紙にはけんが思い悩むほどのことが書かれているようには思えなかった。むしろ中身は江戸詰の藩士が国許の妻女へあてたものとしてはごく普通のもので、強いて気になるといえば未だに飛驒守の快復が遅れているというくだりだろう。だがそれも手廻頭の恵之助が妻への手紙の中で触れても差し障りのない程度のもので、仮に人目に触れたとしても問題があるとは思えなかった。

「この手紙のどこが気掛かりなのか、わしにはよく分からぬが……」

読み終えて、又右衛門はじっとうつむいているけんの顔を覗いた。

「むかしのことだが、わしも江戸詰になったおりには佐和に似たような手紙をしたためた覚えがある、もっとも恵之助どのより遥かに無骨な文面であったが……」

「そうおっしゃると思っておりました」

と言ってから、けんはいま一度、最後のくだりをお読みくださいと言った。いろいろ面倒をかけると思うが、父母のこと、小四郎のこと、よろしく頼む、という一文のことらしかった。

「わたくしの思い過ごしであればよいのですが、そうは思えません」

又右衛門が畳みかけた手紙をたぐる間にも、けんはそう言って、いまにも泣き出しそうな眼を向けてきた。

「真鍋は殿さまの跡を追って死ぬ覚悟かと存じます、そしてその手紙はそのことをわたくしに伝えるために書いたものです」

「まさか、そのようなことは……」

「いいえ、あの人はまっすぐにしか生きられぬ杉のような人です、だからこそわたくしには何も隠せないのです」

又右衛門ははっとした。飛騨守は藩主としての才覚にも自覚にも過不及のない穏やかな人物で、その徳を慕う家中は多く、死後、跡を追うものは自分のほかにもいるだろうと思っていたが、一家眷族からは一人が追えば十分だとも思っていた。だいいち又右衛門に比べて主恩に浴した歳月も短く、これからのある恵之助が追腹を切ったところで飛騨守は喜ばぬだろう。それよりも世子を支え、御家の繁栄のために尽くすのが若い家中の務めである。当然それくらいのことは心得ているだろうと、又右衛門は安心していたのである。その安心を裏切られた驚きはもちろん、又右衛門は自分と佐和との間に娘夫婦ほどの支度もできていないことに気付いて、はっとしたのだった。

「仮にそうだとしても……」

不意のことにうろたえながら、又右衛門は父として言うべき言葉を探した。今日けんが会いにきたのは、足腰はともかく頭の耄碌した舅にかわり、力を貸してほしいということだろう。勝気な姑にもその力がないことは分かっている。動揺し、真っ白になりかけた脳裡から又右衛門は言葉を絞り出した。

「法要のお役目を投げ出してまで江戸で追腹を切ることはあるまい、いずれ殿のお供をして帰国しだい、わしが説得しよう」

だがその提案に、けんは眼を怒らせて応じた。

「それでは遅すぎます」

と悲痛な声を上げ、夫はもう死出の支度をしているのだと言った。感情をあらわにした顔といい、激しい言葉付きといい、又右衛門は責められているような気がした。人一倍辛抱強いと思っていた娘が必死の形相で訴えてきたせいもあるが、その眼には明らかに父親の返答に対する失望が見えたのである。けれども江戸と国許に離れていては、夫の身を案じる娘のためにしてやれることは限られていた。

「すぐに書状をしたためよう」

ややあって又右衛門が言うと、そのひとことでけんはいくらか安堵したようすだった。

「お願いいたします、もうおとうさまのお力にすがるしかないのです」

そう言って、見栄もこらえ性もなく泣き伏した。武士の妻として見苦しいとは思うものの、幼子を抱えて生きてゆくひとりの女を思うと又右衛門は叱ることもできなかった。目の前に同じ武士がいながら、けんは恵之助のことに夢中で、頼みの綱とする当の又右衛門が追腹を切るつもりでいることは考えも及ばぬようだった。又右衛門は改めて恵之助という男に娘をとられたような淋しさに襲われたが、思えばそれだけけんが真鍋の人間になったということかも知れなかった。

（それにしても……）

佐和はここまでうろたえはしまい。いつまでも大きく肩を震わせているけんを眺めながら又右衛門は思ったが、漠然と考えていた佐和との心静かな別れは、にわかに怪しくなったような気がしていた。

二

真鍋恵之助へそれとなく追腹を思いとどまるようにしたためた書状を送り、一息ついた翌日の夕刻になって、筆頭家老の梶谷半左衛門から急ぎ屋敷へ参るようにとの使いがあった。梶谷半左衛門は三十七歳と重職の中では若いが、身分に寄りかかることなく、信念と努力で藩政の合理化と事業に尽くしてきた人物である。氾濫を繰り返す二股川の改修、灌漑水利の整備、新田開発といった事業を着々とすすめる一方で、家中の騒擾を厳しく監視するなど、まさに藩主に代わり国許の政治を担っている。ここ数年は最大の難工事とされる朝生原の開田のために自ら足を運び指揮を重ねているように、常に先頭に立ってできることをしながら心眼は十年、二十年先を見ている出来物とでも言うべきだろう。

又右衛門は年に幾度か城で会うほか、祝宴に招かれたりもするが、未だにひとりで会ったことはなく、互いの家格ほどに近しいというだけで懇意な間柄ではなかった。

（それが、いったい何用だろうか……）

使者を帰して間もなく、日の落ちかけた道を又右衛門は若党をひとり従えて三ノ丸にある家老屋敷へ向かっていた。城の外ケ輪（そとがわ）にある石田家から三ノ丸までは外堀沿いに一足の距離だが、大手門へ回るよりは東の榎門（えのきもん）を抜けるほうがさらに近く、又右衛門は屋敷を出たときに若党へそう告げている。若いころにはよく宿直（とのい）もしたし、役目に追われて下城するのを忘れたこともあったが、その時刻に城へ向かった覚えはあまりなかった。

（まさか追腹の催促でもあるまい……）

仄（ほの）暗く人気のない広い道を歩きながら思っていると、

「旦那さま」

と若党が声をかけてきた。

「五百次さまですが、昨日の試合では三人を打ち破ったそうにございます」

そう言ったのは津万平（つまへい）といって、石田家に七人いる若党の中では又右衛門が最も信頼している男である。

「ほう」

と又右衛門は感嘆してみせた。

「散々に負けたかと思っておったが……」

「最後の相手にはあと一歩のところで負けたそうでございますが、それまではほぼ互角の勝負であった由、ひとこと誉めて差し上げてはいかがかと……」

「いや」

と又右衛門は言った。

「何も言わぬところをみると、五百次はいささかも満足してはおらぬだろう、下手に誉めては臍を曲げるかも知れん」

「はあ……」

「三人に勝ったことよりも一人に負けたことに五百次はとらわれる、しかしいまはそれでよかろう、そなたには気苦労をかけるが……」

「恐れ入ります」

と津万平が言ったとき、新橋の向こうに高い榎の樹影が見えて、又右衛門は家老屋敷からも見えるその光景を思い浮かべた。榎はそのむかし又右衛門の父親が仕官したときからそこにあって、いまほど背丈は高くなかったが、春になると淡い黄色の小花を外堀の水面に落としていたのを覚えている。

突然に父の仕官が決まり、喜び勇んで城を見に行ったとき、又右衛門は城の外ケ輪を歩きながら、いつかはそのあたりの屋敷に住まうことを漠然と夢見ていた。まさか父の代で実現してしまうとは思わなかったが、それまでどん底にあった一家の運は、この国で一気に芽吹き、まるで榎のようにすくすくと伸びてきた。そしてちょうど父が微禄を得たころ、梶谷半左衛門が生まれた勘定になり、その半生と石田家が歩んできた繁栄の道はぴたりと重なるのだった。

（そういえば、はじめて城でお目にかかったのも……）

たしか重五のころだったと、それまで考えもしなかった梶谷家老との縁の不思議さに気付いて、又右衛門は妙なときに妙なことを思い出すものだと思った。行く手に薄明かりの見える新橋を渡ると、橋詰からやや奥まったところに榎門があり、門前に早々と提灯を携えた人影が見えた。どうやら人影は家老家からの出迎えらしく、

「津万平、ひょっとして帰りは遅くなるかも知れんな」

又右衛門はふとそう思って言った。果たして出迎えの家士に案内されて家老屋敷へ行くと、津万平には長屋門の一室に夕餉を用意してあるとのことだった。時分時とはいえ呑気に飯を食う気にはなれなかったのだろう、津万平は庭先で待ちたいと申し出たが許されなかった。拒んだのは又右衛門も幾度か会っている家老家の用人で、自ら客を出迎えに前庭まで出てくるのは珍しかった。だがそれよりも意外だったのは、それから又右衛門がひとり通された部屋に、梶谷家老のほかに旗奉行の小野寺郡蔵が来ていたことである。

（どういうことだ……）

呼び出されたのは自分ひとりだと思い込んでいた又右衛門は、とりあえず小野寺へ目礼してそ

のとなりに座った。ほぼ同齢の二人は小姓組のころから面識があり、小野寺もまた重用されて着実に出世してきた口だった。家禄もいまは石田家と二十石と違わぬだろう。

　又右衛門が時宜を述べるうちにも茶が運ばれてきて、

「急のことで不審に思ったであろう、話は少し手間取るかも知れぬゆえ、まずは一服してくれ」

　梶谷家老が言ったが、

「いや酒にしよう、そのほうが話しながら腹も満たせる」

　彼は廊下に控えていた家士に目配せをすると、二人の顔を交互に眺めながら、遠慮はいらぬ、寛いでくれ、と言った。二人はちらりと眼を合わせたが、

「何やらむつかしいお話のようでござるな」

　すかさず小野寺が言い、又右衛門は胸の中でうなずきながら、じっと家老の顔を見つめた。梶谷半左衛門は小柄なうえに痩せているが、ひ弱な風貌からは想像しがたい根気と優れた頭脳を持っている。面と向かうとどうしてもそのひ弱さに気が緩んでしまいがちだが、彼はそういう相手の意表を衝いて交渉事を思い通りにすすめてしまうという。

　又右衛門が油断なくその表情を見張っていると、

「まあ、たやすくはない、それで急ぎ来てもらったわけだが……」

　梶谷家老はその前にまずは一献かたむけようと言って、のんびりと茶をすすった。言うことと動作がちぐはぐな印象だった。

「お言葉ながら手前は不調法にて……」

むかしから生真面目で、しかもやや気短なところのある小野寺が言うと、家老はそれは意外だという顔をして、ではそなたには飯を運ばせようと言い、また少し考えてから何か食べたいものはあるかと訊ねた。

「そのようなお気遣いは無用に願います、それよりも早速ご用件を承りたく……」

「………」

「のう、石田どの」

不意に同意を求められて又右衛門は曖昧にうなずいたが、いったい何用だろうかと気を揉んでいるのは小野寺と同じだった。だが梶谷家老は何か口の中でぼそぼそと呟（つぶや）いただけで、そのまましばらくは沈黙が続いた。やがて酒肴が運ばれてきて、家老は女中へ小野寺のための飯を言い付けると、又右衛門に酒をすすめ、では、はじめようかと言った。そしていきなり本題に入った。

「殿のご容態についてはおよそ聞き及んでいると思うが、本日、江戸表より急の知らせがまいった」

「まさか……」

と小野寺が言った。又右衛門は口へ運びかけていた盃を置いた。小野寺の考えたことは当然だが、そうではあるまいと思った。もしも飛騨守が死去したのであれば、いまごろ家老は重職会議の最中だろう。だいいち人を呼び出して酒など振舞うはずがない。果たして梶谷家老は、いや、いや、そうではないと首を振った。

「そうではないが……」

そう言って手酌で酒を注いだ。それから長い議論がはじまった。

「有り体に申して、あと十日ほどのお命らしい、書状の日付からすると実際にはあと七日ほどになろう、つまり、もうそのことを案ずる段階ではない、むしろ後事のことを考えねばならぬときにある」

梶谷家老がそう切り出してから一刻は過ぎていただろう、それまでの遣り取りから又右衛門はすでに何か得体の知れぬ重苦しいものが議論の果てに待ち構えているのを感じ取っていたが、小野寺郡蔵は酒も飲まぬのに顔を赤らめ、野太い声で主張を続けていた。

「繰り返し申し上げるが、忠義の家臣が主君の跡を追うのは当然のことかと存ずる、仮に追腹を禁じたとしても忠義の心まで縛れるものではござらぬ」

「するとやはり追腹を禁ずるのには反対ということか」

「敢えて反対はいたしませぬ、ご執政として有能な家臣を失いたくないというご家老のお考えもごもっともかと存ずる、ただ現実に禁令をもって追腹を防げるとは思えぬのです、早い話が先腹を切れば同じことでござろう」

「石田もやはり同じ考えか」

じっときつい眼を向けてきた家老へ、

「いや、少々異なります」

又右衛門は言ったが、小野寺のように白か黒かという自信はなく、声も静かだった。又右衛門はまだ自分の中でもまとまっていない考えを述べた。

「追腹は家臣が主恩に報いる最後の機会であることには違いなく、その数が多ければ多いほど御家は面目を施すことにもなりましょう、しかし仰せのごとく一方では弊害がございます、例えば病人や老人に腹を切らせてご加増を目論むものが出ること、逆にみすみす若い忠臣を失うこともそうです、その意味では禁ずるのは一案ではございますが、小野寺どのが申す通り、それで追腹がなくなるとは思えません、また忠義から腹を切ったものを御家が処分するのはどうかと……」

「禁を犯したものを処分するのは当然であろう、処罰のない禁令ではそれこそ役に立つまい」

「なれど武士の本分とも言うべき忠義を否定しては家中に混乱を招きます」

「手前もそのことを申し上げておる」

と小野寺が付け加えた。

「だいいち、おひとりではあの世で殿が淋しがられる」

「二人の考えはよく分かった……」

梶谷家老は深い溜息をついたが、じきに気を取り直したように笑みを浮かべて小野寺を見た。

「ときに小野寺はいくつになる」

「五十二でござる」

「家族はみな達者か」

「お蔭さまをもちまして、至って達者にしております」

「たしか子息は江戸詰であったな」

「は、宗之さまの御側付きにございます」

宗之はじきに新藩主となる飛驒守の嫡子である。すると、あれだな、と家老は自分にうなずいて言った。

「そなたが死ぬと困るな」

「は？」

「追腹は明日にも触れを出して禁ずる、それでも腹を切るとなると、世間の心証はともかく罪人ということになる、罪人の子をこのまま新たな殿の御側に仕えさせるわけにはゆかぬであろう、また減石は言うに及ばず跡式相続もどのようなことになるか」

「……………」

「石田のところはまだ元服前であったな」

「は……」

「やはり、そのときはお役目に就くのはむつかしいだろうな」

「……………」

そこで相談だが、と家老が言ったとき、

「これは面妖な、そのようなことでいささかも揺らぐ覚悟ではござらぬ」

と小野寺が言った。しかし険しい表情のわりには声が上擦っていて、その覚悟はすでに揺らいでいるかに見えた。そのときになり又右衛門ははじめて、梶谷家老が最も追腹を切りそうな、そして切ってしかるべき二人を選んだことに気付いた。しかも用向きは追腹を切らせぬための談合であるらしかった。

「そうか、やはり無理な頼みか……」

梶谷家老はまた溜息をついたが、又右衛門の眼にはもはやひ弱な印象は微塵も感じられなかった。むしろ腹の中にどっしりと岩を抱えたような信念の人に思われたのである。

「ならばいまこの場で先腹を切るがよい」

又右衛門に口を挟む隙を与えず、家老は小野寺の眼を見つめて、ひどく簡単なことのように言った。

「さすれば罪にはならぬゆえ、そなたひとりの身勝手で一族を苦しめずに済むであろう」

「身勝手と申されるか」

思わず身を乗り出した小野寺へ、

「いかにも」

と家老は穏やかに続けた。

「宗之さまとていつかはお亡くなりになられる、そのときはそなたの子が腹を切り、そのまた世子のときは孫が切るのか、そうして代々死んでゆくのがまことの忠義だとでも子に教えるつもりか……そもそも武士とは主君のために戦うものであろう、いまや合戦だけが戦ではないぞ」
「………」
「わしはな、小野寺、そなたにも石田にも生きてもらいたいと考えておる、禁令をもってしてもおそらく追腹はなくなるまい、逆に抗議の意味で腹を切るものが現われるかも知れん、うまく数が減れば減ったで他家の嘲笑を浴びるであろう、しかしそれでも追腹はなくしたい、同じ命を捧げるのであれば、まこと御家のためになることに捧げるのが家臣の務め、そのことを生きてその身で家中に示してもらいたいのだ」
「しかし、それでは……」
「卑怯もの、臆病もの、恩知らずと罵られるであろう、わしにはそれを止めることもたいした手助けもできぬ、それだけ二人にはつらく長い戦になるであろう、だが必ずや汚名を雪ぐ日は来る」
「………」
「どうであろう、今日ここで死んだつもりで生きてくれぬか、殿もそれでよいと仰せられるに違いない、いずれ宗之さまにもわしから事実を申し上げよう」
小野寺も又右衛門も黙り込んでしまうと、梶谷家老は承諾したものとして二人の前に用意していた誓紙(せいし)を差し出した。いかなる場合にも決して腹を切らぬこと、それが藩命であることを他言せぬこと、そしてその二点を守る限り両家の存続を保証するという一文を加えた起請(きしょう)誓紙である。

　二人はしばらく眺めていたが、やがてその場の苦痛から逃れるように小野寺がまず筆を取り、又右衛門も後に続いた。頭が錯乱しているのは又右衛門も同じだった。

　家老屋敷を出ると、月のない道のさきに薄明かりが見えて、二人はどちらからともなく肩を並べて明かりの見える大手門へ向かって歩き出した。榎門へ向かうと思っていた津万平があわてて向きを変え、小野寺の伴(とも)と提灯を並べて足下を照らしている。

「とんでもないことになった……」

　となりで小野寺が呟き、又右衛門は溜息をついた。いまになり、ずっしりと重い気分に胸がもたれていた。

「貴公、わしを軽蔑するか……」

「いいや、それを言うならわしのことだろう」

　小野寺の疲れ切った声へ、又右衛門は力なく答えた。結局、小野寺はひとくちも食事をとらず、そのせいか足取りもふらついているようだった。

「わしはいま小野寺郡蔵という男を軽蔑している、こんな惨(みじ)めな気分ははじめてだ……正直、ご家老に先腹を切れと言われたときは怖気(おじけ)付いた、そういう自分が情けない」

「何であれ覚悟には相応のときがいる、不意に落ちてきた柿の実を受け止めるのはむつかしい、ご家老はそれを承知でわしらの不意を衝いたのだろう」

「それにしても不甲斐ないではないか」

「いや、少なくともおぬしは自ら生きる道を選んだ、わしはおぬしに決めさせたようなところがある」

「……」

「まったく、我ながら厭になる……」

又右衛門がそう言ったとき、二人はすでに大手門の前まで来ていた。しかし誓紙は誓紙だ、後れ馳せながら覚悟を決めねばなるまい、と又右衛門は言った。すると小野寺が立ち止まり、おもむろに脇差の小柄を抜いて金打した。又右衛門もそれに応え、二人は改めて生きることを誓い合って別れた。

「もう二人きりで会うこともあるまい、努めて心静かに暮らすことだ」

「うむ、お互いにな……」

大手門を出て右へ折れてゆく小野寺を見送り、又右衛門は左へ向いて歩き出した。津万平が持つ提灯の灯が道よりも外堀の水面に漂い、ゆらゆらとしている。目をつむっても歩けるはずの道が急にどこかへ消えてしまったように感じながら、又右衛門は真鍋恵之助へ軽々しく生きるべきだと言ったことを半ば後悔しはじめていた。いざ我が事になってみると、待ち構えているであろう恥辱が、針で素肌を刺されるように敏感に思いやられたのである。

（小野寺にはああ言ったが……）

果たしてどこまで踏ん張れるかは知れなかった。それは小野寺も同じかも知れず、無意識に励まし合わねばならぬほど怯えていたのではないか。当然のことが当然に思われるまで時を要したように、やがて闇の中にぼんやりと新橋が見えてくるまで、又右衛門は小野寺を見送っておきながら、自分が大手門から回り道をしていることにも気付かなかった。

三

梶谷家老が明日にでもと言っていた追腹の禁令は、それからちょうど七日後の五月一日に飛騨守が身罷り、国許へ訃報が届いた三日になってようやく発布された。誰の目にも明日のことなど見えなかった戦国の終幕から八十余年を経た慶安四年のことである。落ち着いて考えてみれば、梶谷家老が明日にでもと言ったのはその場の駆け引きで、藩主の死期を知らせるような触れを出せぬのは当然だった。もっとも家中は誰からともなく飛騨守の病状を洩れ聞いていたから、意外だったのはむしろ追腹の禁令のほうであったかも知れない。いずれにしても二重の動揺が家中を席巻（せっけん）するころ、飛騨守の遺骸はすでに江戸を出立し、国許からも出迎えの一行が北国街道を江戸へ向かっていた。江戸からの行列の総取締役には大小姓頭の先川惣五郎（さきかわそうごろう）が、出迎えの大任を仰せつかったのは又右衛門とは旧知の郡代・山村次兵衛（やまむらじへえ）だった。

（まさか、そんなことは……）
　五日の夕刻には家中を挙げてすすめてきた葬儀の支度がほぼ整い、ほっとしたのも束の間、又右衛門は帰宅すると、不意に胸騒ぎを覚えて庭へ下りた。日が長くなり日没を過ぎても空はまだ明るく、乾いた庭木の肌を残光が照らしている。灰白の空を薄皮で被うように残っている日の光は意外に強く、又右衛門が歩くと、ときおり庭下駄が弾く小石まで見えたが、目を凝らしても紫の花はどこにも見えなかった。

（あれはまっすぐだから……）
　泉水の汀に佇み、又右衛門はようやく蕾をつけた菖蒲を眺めた。深い感慨はなく、固い蕾に裏切られたような気分だった。

　山村次兵衛とは又右衛門が小姓組から近習役へ昇ったころに知り合い、以来、どちらからともなく懇意にしてきた。役目上の関りとは別に気の合うところがあったのだろう。当時、御納戸役だった次兵衛はとりわけ世渡りがうまいわけでもないのに、やはり飛騨守に目をかけられて累進し、一代で家禄を増やしてきた男である。むろん目をかけられるだけの勤勉さや才覚があってのことだが、それでも昇進の機会に恵まれぬ家中が多い中で彼の出世はやはり別格だった。そのためいまの地位に昇るまでには相当の賂を使ったのではないかと、又右衛門と違い、たびたび朋輩の怨嗟の的となり、謂れもなく白い眼で見られることがあったらしい。

　急に又右衛門の胸を騒がせたのは、そういう次兵衛が主恩に報いることとは別に、かつて自分を白眼視した家中を見返すために追腹を切るのではないかということだった。外見はおとなしいが、あれで骨のある男だと又右衛門は思っている。そしてもしも次兵衛が自分の立場にあったなら、家老の命といえどもたやすく従いはしなかったろうと、後ろめたい思いがその胸を苦しくしているのも事実だった。

ご家老との密約を何も知らぬ次兵衛は、いまごろわしに遅れを取るまいと考えているのではないか。だとしたら、わしは友も裏切ることになるのかと思いながら、又右衛門が屈みこんだとき、背後から蚊の鳴くような女の声が聞こえた。

「旦那さま……」

そう言ったのはせきの声で、振り向くとせきはいつもの穏やかな顔で立っていたが、夕餉の支度ができたことを告げると、少し身構えた感じで言った。

「わたくしの思い違いならよいのですが、その、奥さまは旦那さまがお腹を召されるのではないかと、いたく案じておられるようでございます」

「佐和が……」

「はい」

「そう申したのか」

「いいえ、でもきっとそうに違いありません」

せきは、それでなくとも病のために気が弱くなっている佐和を早く安心させてやってほしいと

言ってからも、しばらくそこに立っていたが、

「切れと言われても、もう切れんだろう」

又右衛門が呟くと、差し出がましいことを申しましたと言って、にわかに訪れた夕闇の中を小走りに去っていった。どことなく弾んでいるようなその足取りを眺めながら、又右衛門は佐和の心配がせきのものでもあったことに気付いたが、とがめる気にはなれなかった。婢にも婢なりの忠義があって案じてくれたのだろうと、むしろ快く思っていた。

その夜、又右衛門は佐和に家老との密約をありのままに語って聞かせた。果たしてぱっと明るくなった佐和の顔を見て、又右衛門は少しだが救われたような気がした。追腹を切るつもりでいたときは、多くは語らずとも分かるだろうと思っていた妻の本心を見たような気がしたのと、自分が生きることで安堵する人間がいることにいくらか罪の意識を拭われたのである。

もっとも、それでからりと心が晴れたわけではなく、病弱な妻の笑顔にいっとき愁眉を開いたものの、先々のことを思うとすぐにまた重い気分になった。ただそうした思いは自分ひとりのものではなく、当然のことながら常に家族と分かち合っていることに思い当たり、どうせ耐えることなら少しでも明るく振舞うべきではないかとも思った。

その気持ちは不思議と一夜の眠りから覚めても変わらず、翌朝、明らかに寝不足と分かる、精根尽きた顔で訪ねてきたけんに対しても、又右衛門は努めて明るく接した。

「江戸からの行列には真鍋もいるのでしょうか」

「むろん、お供をしているはずだ」

手廻頭の恵之助にほかの役目があるとも思えなかったし、又右衛門は早ければ今日にも善光寺に着くだろうと言った。

「すると明後日には帰国なされますね」

けんはじっと食い入るような眼で又右衛門を見た。夫の恵之助がその前に追腹を切るのではないかと案じていることは聞かずとも明らかで、又右衛門は穏やかにうなずいてみせた。

「ただし帰国後も当座は多忙であろう、あるいは手廻組はしばらく城に詰めることになるかも知れぬゆえ、着替えなどすぐに運べるように支度をしておくがよい」

「家には帰れぬのですか」

「ときがときゆえ、役目柄、そういう事態も有り得るということだ」

「おとうさまは真鍋が帰国しだいお会いになるとおっしゃいました、本当にそうしていただけるのですね」

「そのつもりだ、しかし城で長話はできぬだろう」

するとけんは茫然として、では、いったいどこで夫を説得してくれるのか、自分はどうすればいいのかと声を震わせた。それまで握りしめていた両手を膝につき、そうしなければいまにも上体が崩れそうだった。

「むろん……」

又右衛門は言いさして眉をひそめた。たとえ親の前にしても武士の妻とも思えぬうろたえようを見苦しく思ったからだが、そういう自分が毅然（きぜん）としているかといえば怪しく思うばかりだった。追腹を覚悟していたときよりも断念してからのほうが心が揺らぐのは、確固とした武士の信念をなくしたためかも知れない。そう思い当たると、ことさら臆病になっているような気がして、娘の動揺を苦々しく思いながら一喝できぬ自分が情けなく思われた。

「すでに言うべきことは言ったつもりだが……」

又右衛門は歯がゆさから本心を口にした。

「しかし恵之助どのとてひとり前の男だ、わしの言葉にたやすく従うとは思わぬほうがよい」

「おとうさま……」

「そもそも恵之助どののことは真鍋家の、いや、それ以前に夫婦の問題であろう」

「そんな……」

けんは悲痛な表情に憎しみを浮かべて又右衛門を見た。頼りの父に裏切られたという思いがきつい眼に溢れていた。その眼がすっと血走ったように思われ、又右衛門は驚いて言った。

「心得違いをいたすな、できるだけのことはすると申しておる、そなたも真鍋の嫁としてすべきことがあろう」

だが、けんは絶望したようにうなだれて応えなかった。それまで辛抱強く見えていた娘が、実は気弱で、いざとなると感情を抑えられぬことに気付いたとき、又右衛門は自分の中心を成していた核のようなものがひび割れてゆくのを感じた。同じだ、と思った。彼の眼は娘の打ちひしがれた姿を見ながら、案外なほどもろく崩れはじめた自分自身の姿を見つめていた。

「ともかく……」

と言って又右衛門は吐息をついた。

「いまは心を静めて殿のご帰国を待とう」

そう言ったとき、玄関のほうで大きな話し声がして、間もなく廊下を近付いてくる足音が聞こえた。忙しない足音は伜の五百次のもので、部屋の前まできて止まると、若い声が興奮気味に坂東さまから急の使いがきたと告げた。坂東家は石田家と同じ馬廻組で、当主の輝蔵は先ごろ隠居した父親から家督を継いだばかりの学校奉行である。屋敷は目と鼻の先にあり、それなりの付き合いもあったが、朝方から何用だろうかと思いながら、

「入れ」

と又右衛門は言った。すると五百次は障子を開けたが、けんが来ていることを知らなかったらしく、悄然とうなだれている姉を訝しげに一瞥してからその横に座った。

「ただいま坂東さまより御使いがあり、一昨日、上州・板鼻宿にて飛驒守さま御小姓、久保辰三郎どの、ご切腹との由にござります」

「……」

「ついてはご登城の道々、内々にご相談したき儀があり、お屋敷門前にてお待ちいたすとのこと、

いかがご返答いたします」

「……」

予想していたものの、又右衛門は総身に寒気が走るのを感じた。突然、出陣を告げる陣貝を聞いたような気分だったが、むろん奮い立つことはなく、それどころか兢々としていた。見ると、けんは血の気を失い、呼気も忘れているようすだった。

「分かった、すぐに参る」

と又右衛門は言ったが、気が動転し言葉通りには動けなかった。

四

自分にはすでにその用意があると、城へ向かう道々声をひそめて話しながら、坂東輝蔵が婉曲に追腹の介錯を買って出たとき、又右衛門はやはり禁令の効果がないに等しいことを悟った。と同時に腹が立った。坂東は藩の禁令が介錯人の処罰については触れていないことを承知で、その名誉だけを手に入れようというのである。

二人は城の外ケ輪の通りをいつもとは逆の方角に、本丸を左手に見ながら、ほぼ一周する形で大手門へ向かっていた。坂東がそうしようと言い、歩き出すとすぐに用件に入ったが、又右衛門はしばらく黙っていた。

外堀の水面は五月にしてはやや低く、濁りの濃くなった水や、そこへくたくたとしなだれるように伸びている堀端の草木のようすは雨が待たれるように見えた。ちょうど東の空から強い日差しが城の石垣を照らしてい、幾日か前までは水面下に隠れていた部分の水苔が乾いて変色し、ところどころで鈍い光を放っている。

又右衛門が前方の堀を眺めていると、

「小姓に先を越されたのは口惜しいが……」

坂東は当然又右衛門が追腹を切るものと考えていたらしく、馬廻組の腹の切り方を見せてやろうではないかと言った。むろん自身はそのつもりはなく、又右衛門に追腹を催促したのである。その覚悟でいたときなら笑い飛ばしたことかも知れなかったが、思い上がるな、そう怒鳴りたくなるほど不遜な言い方に聞こえた。

「では坂東どののときには手前がお引き受けいたそう」

又右衛門が言い返すと、坂東は死人に介錯はできますまいと笑った。たとえ自分にその気があったとしても順序からいって又右衛門に介錯はできぬという意味らしい。これまでの坂東と違い、その言葉にはいちいち棘があり、寒々としたものが感じられた。あるいはこの機に、成り上がりの、言わば外様の家臣である石田家を馬廻組から排除したいというのが本音であったかも知れない。

（それにしても……）

人を呼び出しておいて生死の問題を弄(もてあそ)ぶような男に阿(おもね)る必要はないように思われ、又右衛門はもはやその気がないことを知らせるつもりで言った。

「しかし追腹は禁じられ、切れば御家に背くことになりましょう」

「いや、まったく……」

「久保辰三郎は死して科人(とがにん)となり、遺族がその処分を受けるわけです」

するとと坂東のせせら笑いが聞こえた。

「まったく、本末転倒ですな」

と彼は言った。軽く突き出した顎が二つに割れて薄い鬚が生えている。又右衛門はちらりとその顔を見た。大柄な体に載せた四角い顔には不似合いな小さな鼻があり、そのためか体ほど勇ましく見えぬ男だったが、鼻息だけは荒いようだった。

「主君への忠義を否定して武士が成り立ちましょうか、久保家の処分を巡ってはこれから相応の論議がなされるはずです、だいいち殉死するものがなくては殿が笑い物になる」

「つまり一人では足りぬと……」

「話になりませんな、仮にも十一万石の御家ですぞ」

坂東は言って又右衛門を流し目に見た。

「たしか先代の景光院(けいこういん)さまのときは二十人というところでしたか……当時は事前のお許しはもちろん事後のご加増もあったと聞き及びますが、いまでは逆に罪になります」

又右衛門はうつむき加減に答えた。

「しかし、それも主命とあればいたしかたない」

「主命と申されるが、厳密にはご家老の命でござろう」

「御意にあらずと申されるか」

「いかにも、この半年余り、殿には満足にお言葉も遣えなかったそうでござる」

「ご意志を示す手段はほかにもござろう」

「御墨付きはないと聞いております」

「それでも御法度は御法度……」

「すると何でござるか」

と急に坂東が声を大きくした。

「石田どのはつまり、此度の禁令を支持なさるご所存か」

「御家の方針として決まったことに、家臣のひとりとして従うまでのことです」

「ほう、それでは介錯など無用ですな」

坂東が吐き捨てるように言ったとき、二人は西ノ門を過ぎて馬屋のある広場に差しかかっていた。広場にはぽつぽつと登城する藩士の姿が見えて、左手の隅にある、いったん外堀から離れて二ノ丸の西ケ輪へ出る道へ一人また一人と吸い込まれてゆく。道は西ケ輪で再び外堀に出合い、あとはほぼまっすぐに大手先の札ノ辻（高札場）へと伸びている。広場を過ぎて鉤の手に道を曲がり、正面に再び外堀が見えてきたところで、又右衛門は思い切って言った。

「ではお訊ねいたすが、そういう坂東どのはいかがなされるおつもりか、是非お聞かせ願いたい、主恩に浴したといえば貴殿はもとより家中のことごとくがそうでござろう」

「むろん、それについて異論はござらぬ、しかし家中がみなみな殿の跡を追ったのでは御家の滅亡は必定、そこでとりわけご寵愛を受けたものが殉ずる、それが道理でござろう」

「しかり、して坂東どのは？」

「手前はようやく家督を継いだばかりの若輩でござる、飛騨守さまにお仕えしたのも五年足らずゆえ……」

「坂東家は歴とした譜代席のお家柄、たしか百五十年は御家に仕えておられる、比べて当家は僅かに三十七年、それこそ若輩でござるが……」

「……」

「追腹を切るか切らぬかは当人が決めればよいこと、人に指図されて切るものではござりますまい」

「しかし貴公は別格でござろう、泰平の世にお召し抱えとなって、三十余年で馬廻組に昇ったのはまさに飛騨守さまのご恩顧によるもの……同じ馬廻りでも軍場で仕えてきたわれわれの父祖とは違い申す、そもそも旧臣の意見も聞かず、御家の面目に関る大事を梶谷家老に独り決めされては困る」

坂東はつい本音を洩らすと、自分でも口を過ごしたと思ったらしく、顔をしかめて言った。

「いや、それはそれとして……追腹を強要したと思われるのは心外だが、正直なところがっかりいたした」

「手前もでござる」

と又右衛門は言った。

「そもそも手前が生きることで人に落胆される謂れはござらぬ、過分にお取り立ていただいたものとして殉死を考えなかったわけではないが、禁令を犯してまで腹を切ることが殿へのご恩返しになるとも思えぬ、またそのことで家中が対立するなどもってのほかでござろう、それこそ御意に叛するというもの、違いますかな」

「なるほど、そういうお考えでござるか」

坂東が言い、又右衛門は口を閉じた。坂東輝蔵が追腹を強要する裏には又右衛門を疎む気持ちのほかに、梶谷家老への反発もあるようだった。そしてそれは彼ひとりの考えではなく、背後には相応の賛同者がいるように思われたのである。

藩内には二年ほど前から梶谷家老に対抗する動きがあって、次席家老の深田治太夫(ふかだじだゆう)を中心に同憂の士を集めているという。又右衛門も一度それとなく会合に誘われたが、そのときは深く考えずに断わり、以来、再び誘われることもなくきた。あるいはそのあたりから梶谷家老に見込まれ、深田家老に疎まれているのかも知れない。深田派と言ってもいい集団がどこまで膨らんでいるのかは分からないが、財政の改善を優先し、禄米を借上げ、慣習として黙認されてきた収賄や経費の水増しにも厳しい梶谷家老に反発する声は多く、殉死の是非をめぐる論争をきっかけに一気にその声を高めるつもりとも考えられる。

だが財政改善は藩という大きな家の将来を考えたとき、最も解決を急がなければならない問題であり、とどのつまりは藩の米蔵から食禄をもらって暮らしを立てている家中ひとりひとりの問題でもある。殉死にしたところで、あたら忠義の家臣を失うだけで決して藩の利益にはならぬだろう。

だいいち梶谷家老が追腹を禁じたといっても、重職会議を経ていることで独断とは言えない。会議での発言力や説得力があるのは筆頭家老として当然のことだし、その力が困難に消極的になりがちな重職らを鼓舞しながら藩の事業を押しすすめてきた。それを独断と見れば見られぬこともないが、これまでの成果を見る限りではむしろ勇断と呼ぶべきものではなかろうか。筆頭家老といえども人間であるから過ちはあるにせよ、いまのところ彼より優れた指導者はいないと又右衛門は思っている。だが若い家老の賢才ぶりを、あるいは妬み、あるいは疑問視する眼が多いのも事実だった。

坂東輝蔵が又右衛門に殉死を迫るのも、それが梶谷家老への造反につながるからと考えるのが妥当だろう。忠義を突きつめて死ぬものがいる一方で、忠義を人に押しつけて私利を図るもののもいる。

（さもしい限りだ……）

又右衛門は思ったが、それから城に上り、坂東と別れて二ノ丸にある評定所へゆき、詰所でしばらく黙念としていたとき、揃って出仕してきた同役たちの眼差しにいつもとは違う気配を感じた。又右衛門を入れて四人いる留方は、行政に審議を要する案件が起きたときに関係する諸役が集まって評定する際、その記録を取るのが役目である。とくに評定がなければ藩庁の文書作成を手伝うこともあるが、たいていの場合は控えているだけで一日が過ぎてしまう。そのため同役と世間話をすることも多く、彼らとは気心の知れた間柄だった。それが遠くから汚物を見るような眼を向けてきたのである。

不思議に思いながらもいつものように朝の挨拶をし、ひとこと話しかけた言葉を無視されたとき、又右衛門は自分を見る世の中の眼が変わりはじめたのを知った。

（そうか、もうはじまっているのか……）

坂東の高慢な態度といい、同役の冷ややかな視線といい、考えていたよりも家中の反応は遥かに早く、すでに注視されていたのである。ときおり又右衛門にそそがれる彼らの視線には、いつまで老醜をさらすつもりだという非難と嫌悪が込められているようだった。

又右衛門はこっそりと吐息をついた。詰所は十畳の広さである。そこに二人ずつ向き合う形で文机が並んでいる。次の間の書庫からいりもしない書類を取って戻ると、三人の顔から同時に笑みが消えるのが見えた。はじまったのは殉死の是非を問う論争ではなく、無言の恫喝だった。

もっとも生きているほうがおかしいのだという思いは、まだ又右衛門自身の中にもあって、心底から驚いたわけではない。同役の三人もあるいは深田派なのだろう。

(それにしても……)

家中の和を重んじた飛騨守がこの場を見たなら激怒するだろうと思う一方で、又右衛門は流浪の果てにようやく摑んだ一家の安穏も、父の代から三十七年をかけて築いてきた家中としての信頼も、呆気なく崩れてゆくのを感じていた。

五

その夜も夜半を過ぎて、いきなり降り出した雨は二日を経てもやまず、ようやく訪れたらしい梅雨の中を又右衛門は従者に麻上下を入れた挟箱を持たせて登城した。前日、行列の総取締役から知らせがあった通り、昼近くに飛騨守の遺骸を出迎えたときには殉死者は八名に上っていた。うち一人は又右衛門がもしやと案じていた郡代の山村次兵衛で、彼は北国街道の善光寺で遺骸を出迎えた直後に同地の雲上寺で切腹したという。

その山村と前後して、殉死の先鋒となった久保辰三郎に続いたのは近習の江口森之丞と桜井剛次郎、御納戸役の浦野東兵衛、鷹匠の山野辺吉衛、そして徒士の大西清吾と渡辺保次郎である。いずれも浪々の身を飛騨守に召し抱えられたか、あるいは重く用いられてきた男たちで、禁令がなければ飛騨守の供をしても何ら不思議のないものたちだった。中でも微禄の数名は侍として恩を知るものに思われた。

あるいは五百次もそう思ったのだろうか、

「父上、今日はお戻りになられますか」

その朝、急に具合の悪くなった佐和にかわり登城の支度を手伝いにくると、そう言って珍しく又右衛門を見つめた。

「分からぬ」

と又右衛門は答えた。家中総出で飛騨守を出迎え、通夜を営み、翌日には葬儀であるから、城に泊まることになるだろうと考えていたが、五百次が別の意味で訊ねたように思われたのである。追腹の禁令については話して聞かせていたが、病弱な体質からくるおとなしさとは別に口数の少なくなった佐和を見るうち、不安になったのかも知れない。それとも逆だろうか、と又右衛門は思った。息子の眼には父の本心を見極めようとする気持ちが表われていて、あるいは今生(こんじょう)の別れのつもりで訊いたことかも知れなかった。

「戻れぬかも知れぬな……」

武士として我が子にもそう言えなかったことにやましさを覚えて又右衛門は自嘲せずにはいられなかったが、大手先の札ノ辻まできて高札を見たとき、いくらか救われた思いがした。高札には御意に逆らい殉死するものは逆臣とみなすと、梶谷家老の名で改めて追腹を禁ずる達しが書かれていたのである。逆臣の二文字は、家中の胸にも又右衛門の胸にも応える言葉だった。

けれども、いざ飛騨守の遺骸を迎えたときに、激しく感情の高揚するであろう家中が高札を思い出すかどうかは怪しかった。殉死すれば遺族を苦しめることになるという一点が心の歯止めだが、すでに八人が先立っているうえ、彼らの忠義を称える声はあっても非難する声は聞こえてこない。そして最も歯止めの怪しく思われるのが真鍋恵之助だった。

城へ上り、珍しく話しかけてきた同役の小川兵庫から恵之助が山村次兵衛の介錯をしたと聞いたとき、又右衛門は愕然としながら、恵之助にいまもその意志があることを確信した。はじめから殉死するつもりがなければ別だが、一度断念したものが人の介錯はできぬだろう。つまりは断念していないと考えるのが自然だった。

沛然と降り続いていた雨は江戸からの行列が到着したときには小止みになって、御棺のすすむ後から潮が満ちるように家中のすすり泣きが聞こえた。又右衛門は二ノ丸の広場で御棺を拝したが、じきに後続の供勢の中に恵之助の姿を見たとき、確信が動かしがたい事実に変わるのを感じた。恵之助は痩せて能面を被ったように無表情で、眼は宙の一点を見つめていた。

（一刻も早く話さなければ……）

御棺が本丸へ入るのを見送り、急ぎ詰所へ戻って濡れた衣服を着替えていると、小川兵庫が放心したようにふらふらと入ってくるなり、部屋の片隅に崩れるように座り込んで呻き声を上げた。女々しいが当然と言えば当然の姿で、又右衛門は構わずに着替えた。頭では分かっていても、その眼で御棺を拝せば誰しも感情が高ぶる。ましてや最期に立ち会ったものなら悲嘆はいかばかりかと思った。

　本丸へゆくと、広間にはすでに上士たちが集まり誦経(ずきょう)がはじまっていた。悄然として悲しく、それでいてどこか憤然とした声は、又右衛門の思いと重なり、それでなくとも騒ぐ胸をさらに騒がせてやまなかった。彼は広間の末座に控えて恵之助を探したが、それらしい姿は見当たらなかった。まだ着替えているのか、食事か休息をとっているのだろう。そう思い、しばらくは誦経に加わりながら、出入りする人があると顔を確かめていた。

　ところが、それから一刻しても真鍋恵之助は現われなかった。不審に思い、又右衛門は広間を退出して城中を探し回った。まっさきに手廻組の詰所へゆくと、果たして組子(くみこ)は休息していたが、小頭の内山源蔵(うちやまげんぞう)という男が応対に出て、枉駕(おうが)の間におられるはずですと答えた。恵之助がそう言って詰所を出てから優に半刻は経つという。

「枉駕の間にはおらぬ、すまぬが手分けして探してくれぬか」

「はあ、しかし……」

「義父の石田又右衛門が火急の用があって探していると伝えてもらいたい」

「かしこまりました、で、どちらへご連絡をいたせばよろしいでしょうか」

「とりあえず広間の取次ぎに伝えてくれ、もう一回りして見つからぬようなら、わしも広間へ戻る」

だが、もしやと思い、又右衛門はもうひとこと付け加えた。

「手隙のものでよい、広間におらぬときは二ノ丸の評定所へ頼む」

ひょっとしたら小川兵庫がまだいるかも知れず、言伝くらいは頼まれてくれるだろうと思ったからである。

しかし、結局、恵之助はどこを探しても見つからなかった。又右衛門は仕方なく広間へ戻り、内山源蔵からの連絡を待った。そしてさらに一刻が過ぎたころ、にわかに人数の増した列座のどこかに恵之助がいはしまいかと見回していたとき、ようやく静かな声をかけてきたものがいる。

「留方の石田又右衛門さまと御見受けいたします」

内山からの連絡に違いないと思い、又右衛門がうなずくと、取次ぎの坊主はしかし、声を低くして徒士組の浜野文六から言伝があると言った。はじめて聞く名前で、又右衛門は厭な予感がした。

「手廻頭・真鍋恵之助さまのことでお目にかかりたく、二ノ丸の評定所でお待ちしているとの由、何やらお急ぎのごようすでござりまする」

「相分かった……」

目立たぬように又右衛門は静かに立ち上がった。足速に、といっても城中のことで思うに任せず、人目をはばかりながら行ってみると、評定所の玄関先に雨合羽を着たままの三十二、三の男が立っていて、それが浜野文六らしかった。浜野もすぐに又右衛門と分かったらしく、歩み寄るとこちらが訊ねるよりさきに深々と一礼して名乗った。背も腰も低いが、なで肩からつながる胸板が厚く、力のありそうな男だった。

「話は中で聞こう」

と又右衛門は言った。浜野の眼が異様に緊張していたのと、体格にしては合羽の下の体が小刻みに震えているように見えたからである。立ち話ですむような話ではないだろうとも思った。

評定所の中に小川兵庫の姿はなく、下役の手代と番人のほかには誰もいない詰所で向かい合うと、浜野文六はすぐに平伏して切り出した。

「本日、未の下刻（午後二時半頃）、御手廻頭・真鍋恵之助さまにはご城下の光覚寺においてご切腹、それがし、かねてより介錯を仰せつかり……」

浜野が訥々と事の次第を述べるのを、又右衛門は拳を握りしめて聞いていたが、やがてこらえきれなくなって見栄もなく片手を畳についた。予感したこととはいえ、現実は小石が岩になったように重くその胸に伸しかかってきた。

浜野文六は恵之助が徒士頭だったときの組子で、その後も目を掛けられていたらしい。介錯を頼まれたのは禁令の出る一月も前のことであったから、半信半疑に思いながらも約定したままに光覚寺へ行ってみると、恵之助が待っていたという。恵之助はそれが当然のように笑顔で迎え、よく来てくれたなと言ったそうである。そこまではどうにか聞きとどめたものの、あとは頭が朦朧として浜野が何を言っているのかよく分からず、又右衛門は彼が話し終えて顔を上げたときには放心して口を開けていた。部屋は湿っているのに唇が乾き、喉もからからに渇いていた。

「それはご苦労であった、真鍋もさぞかし満足であろう……」

ようやく又右衛門は言ったが、本心ではひとことの断わりもなく死んでいった恵之助に恨みを覚えていた。実父がしっかりしているならともかく、女子ふたりが後事を引き受けるのだから、せめて小四郎の後見を頼みにきてしかるべきだろう。死ぬなら死ぬで支度があろうにと思ったが、恵之助の痩せたようすから察するに、それも考え抜いた挙げ句のことかも知れなかった。

「それで、真鍋家には知らせたのか」

「は、光覚寺より寺社方と真鍋さまへ使いを出してございます」

「遺書はあるのか」

「ございません……ただ、ひとこと、武士(もののふ)として喜び多き、よき生涯であったとお伝えするようにと……」

「わしにか」

「いえ、みなさまにと申されました、ご家族か縁者の方々と心得ます」

「よき、生涯か……」

「見事な御覚悟にございます」

それも罪になるのでしょうかと言って浜野が眼を怒らせたが、又右衛門はそれには応えずに奥歯を嚙みしめた。見事な覚悟というが、それならなぜひとときなりと家族との別れのときを作らなかったものか、いまごろ、けんはどうしているだろうかと思った。

六

梅雨の晴れ間の静かな昼下がりに、案外に強い陽の差した庭を眺めていると、この十日が一夜の夢であってくれたらと、ふとそんな気がしてくる。泉水の汀にはようやく鮮やかな紫の花をつけた菖蒲が見えて、庭木の枝にはいつからそうなったのか、つややかな若葉が輝いている。

病質と心労で寝込んでいる佐和の顔を見てから、又右衛門は久し振りに部屋の障子を開け放ち、庭を眺めていた。

(五十にもなって情けないものだ……)

せきが運んできた茶が冷めて黄色くなるほどじっと菖蒲を見るうちに、胸には虚しさが満ちてきた。僅か十日のうちにこれまで信じて疑わなかった武家の概念が変わり、強く生きてゆく自信も気概も薄れていた。

殉死は真鍋恵之助が最後ではなく、それどころか飛騨守の葬儀の日に三人、その後もひとりまたひとりと続き、遺族が病死と届け出たものも加えると昨日までに十七名が追腹を切っている。そこまで数が増すと、禁令はあってないに等しく、次は石田又右衛門か小野寺郡蔵かと囁かれ、城にいても肘でつつかれるようで落ち着かぬ日が続いた。その間、執政が処分を決めたのは久保辰三郎のみで、久保家は二十二歳の当主を失ったうえに、五割の減石、一歳の遺子の跡式相続も元服までは認めず、半減した遺知のそのまた半分のみが給されることとなった。つまりはこれから約十五年、残された妻子は二石一人扶持で糊口を凌ぐという厳しい処分だった。

もともと微禄の小姓とはいえ、久保家の処分を巡っては深田派が反発したこともあって他家の処分が遅れているらしい。梶谷家老も久保家でようすを見たのかも知れない。いずれにしても家中の思いもそれぞれで、処分を待つ当の遺族ですら潔く追腹であるとするものもあれば断じて病死であるというものもある。善し悪しはともかく、そういう気概を又右衛門は失っていた。追腹が罪となり、自ら命を絶った人間の遺族がその罪を背負う一方で、生きていればいたで死ぬことを期待される矛盾について、いまになり考えざるを得なくなった。殉死したものをとやかく言う資格はないが、死んで名分が立つと考えるのも間違いらしい。かといって堂々と生きるのもむつかしい。

(五十にもなって……)

そろそろ死に支度を考えようかというときに生きろと言われ、どこへ行くとも知れぬ道をただ歩けと言われても、情けないことに足が竦んでしまう。これからずっと白い眼で見られるのかと思うと寒気がし、それまで信念や誇りといったものを止めていた楔がぽろぽろと抜け落ちてゆくような気がした。

そういう父の変化を五百次は敏感にとらえて、又右衛門に代わり恵之助の葬儀に参列したころから、いったい父はどうしたのかという眼で見るようになった。五百次に弔問を任せたのは、殉死とはいえ処分の決まらぬうちは、罪人の家である真鍋家へ当主が自ら弔問しては憚りがあると考えたからである。それを臆病な保身ととられ、薄情と言われ、あるいはそうかも知れぬが、又右衛門を誹謗する声は十五歳の狭い付き合いの中にもあって五百次は不愉快なのだろう。真鍋家でも姑が憤懣をあらわにし、けんの態度はよそよそしかったという。

　けれども、一方では佐和の顔から苦渋がとれて、同じように床に臥せっていても表情は見違えるほど柔らかくなった。それだけでもこうして生きている値打ちはあるのではないか。又右衛門は思ったが、覚悟のままに死んでいればそれで済んだことが、ひとつ手順が狂ったために自分の案外な弱さを思い知らされたのも事実だった。恵之助にしても、よき生涯と言い切れたのは思い通りに終えたからではなかったろうか。

　とりとめのない物思いから覚めると、庭の日差しの中を素早く横切るものが見えて、じきに今度ははっきりと二羽の燕が泉水を掠めるのが見えた。燕はゆっくりと飛ぶことができぬらしく、空中で鮮やかに翻っては泉水に向かって矢のように飛ぶということを繰り返している。

　俊敏なわりに無器用な鳥に思われ又右衛門が眺めていると、廊下に津万平がきて投げ文があったと告げた。ご覧いただくべきかどうか迷いましたがと言ってから、津万平は膝をすすめて汚れた小さな紙片を寄越した。

（この恩知らずめ……）

目を剝いた男の声が聞こえるような、しかし罵詈にしては美しい筆遣いで、又右衛門は一瞬、誰だろうかと考えたが、むろん顔見知りとは限らなかった。むしろ誰の口から聞いても不思議のないひとことである。

「卑劣な嫌がらせです、以後は見つけしだい捨てることにいたします」

さすがに憤慨したようすの主に津万平が言ったが、彼もまたそれがはじまりに過ぎぬと考えたようである。又右衛門は、ほかに変わりはないかと言った。

「いいえ、いまのところは……」

「このこと五百次には洩らすでないぞ、あれはわしに似ず激しい気性ゆえ……これで終わることならよいが……」

だがその翌日には、又右衛門が城から戻ると門扉に落書が貼られていた。見ると落首の文字は道を歩きながら読めるほど大きく、拾われしご恩も忘れ眺め入る、石田ヶ原に出づる落陽、と皮肉っている。又右衛門はすぐさま門番に命じて剝がさせたが、それで止むことではあるまいと思った。

果たしてその日を境に、一向に追腹を切るようすのない又右衛門への誹謗中傷は日毎に激しさを増し、やがて門前に魚の腸が置かれたり、夜にはどこからともなく小石が飛んでくるという日が続いた。城でこそ節度は守られるものの、道を歩いていると、わざわざ通りすぎるのを待って、臭くてたまらぬ、などと聞こえよがしに囁かれた。

そうしたある日のこと、久保辰三郎以来保留になっていた殉死者とその家の処分が決まり、札ノ辻に高札が立った。それによると大半の家が減石もしくは閉門となり、真鍋家は二百石のうち三割を削られて百四十石、五十日の閉門となった。僅かな減石だけで済んだのは微禄の下士だが、意外にも久保家ほど厳しい処分は見られなかった。また閉門となった家にしても、すでに当主はおらず、実質的には名誉の剝奪に過ぎなかっただろう。

結果として執政は処分を緩和したことになり、その分、会議で深田家老が押し出し、梶谷家老が引いたものと考えられた。石田家にも起こりえたことに対して手前勝手な厳罰を期待していたわけではないが、追腹をなくすと言った梶谷家老の目論見からすると甘い処分であったから、又右衛門は真鍋家のことを考えるとほっとする一方で、大勢が一気に追腹称賛へ逆流するのではないかと案じた。当初からその傾向はあったし、流れの勢いによっては禁令も覆る（くつがえ）のではないか。家中の声が水面下ではそちらへ流れていることを又右衛門は肌で感じていたし、家老ひとりの力で逆らえるものではない。もっとも、その防波堤として梶谷家老は又右衛門と小野寺郡蔵を用意したのかも知れなかった。

（常在戦場（じょうざいせんじょう）というが……）

まったく武士の心得とは皮肉なもので、五十にもなって戦わねばならぬ敵が同じ家中かというのが又右衛門の素直な感想だった。そしてそこには飛び込んできた不運に対するいくらかの僻み（ひが）も混じっていた。

その日は詰所でもことさら冷たい視線を浴びて、小降りの雨の中を帰宅すると、驚いたことに出迎えた津万平がお嬢さまがいらしていると告げた。津万平はまだ高札の件を知らぬらしく、心なしか明るい表情だった。

突然の来訪に驚いたこともあるが、閉門を仰せつけられた身でのこのこと外出してさらに咎められはしまいかと思い、

「それで、いつ参った」

又右衛門が訊ねると、津万平は一刻ほど前になりましょうかと答えた。

「本日は真鍋家の当主として伺ったと、そうおっしゃいました」

ならばなおさらのこと自粛すべきだろうと又右衛門は思ったが、処分を伝える藩の使者が遅れているのか、意図してその前に外出したのかも知れない。いずれにしても恵之助のことを考えると気の重い対面だった。

着替えて居間へ行くと、けんは客間にいて佐和が相手をしていた。

「起きていてよいのか」

と又右衛門は佐和に声をかけた。けんが辞儀をしたが、目の端からようすを窺う(うかが)ような固い表情だった。

「では、お言葉に甘えて、わたくしは少し休ませていただきます、けんも病人が相手では疲れたでしょう」

ついでにお茶を運ぶように申し付けて参ります、と佐和が気を利かせて立ってゆくのを見送り、又右衛門はおもむろに話の口火を切った。

「その後、どうしておるかと案じてはいたのだが、わしもいろいろとあってな……」

「承知しております、わたくしもそれはいろいろとございましたから……」

「姑どのは達者か」

「はい、お蔭さまで、みなどうにか暮らしております」

「……」

「ご存じでしょうが、真鍋はこれより五十日の閉門となりますので、今日はその前に一度お目にかかりたくて参上いたしました、五百次にもさきほど会って話しましたので、あとはおとうさまと少しだけお話をして帰るつもりです」

「うむ……」

「五百次は急に大人びたようですね、旦那さまの葬儀のときも石田家の人間として立派にお役目を果たしました、これで元服すればもう一人前でしょう」

けんはそう言って微笑した。片顔（かたかお）だけを崩した微笑は、弟の成長を思う姉の感慨とも又右衛門への皮肉ともつかなかった。

「それに比べ、小四郎はまだ父親の死すらしかとは受けとめていないようです」

「歳が歳ゆえ、それも仕方あるまい」

「ですが、これからは真鍋の当主でございますから」

「そうはいえ、元服まではそなたが代わりを務めることになろう」

と又右衛門は言った。舅の真鍋杢兵衛が達者であればけんの苦労も減るだろうと思ったが、無い物ねだりだった。

「相続の儀はすでに願い出たのか」

「いいえ、用意はしてございますが届出は閉門が解けてからになります、小四郎はまだ五歳ですし、罪人の子ですから相続といっても期待はできません」

「……」

「おとうさまが賢明で五百次はよろしゅうございます」

「どういう意味かな」

「別に……」

「生きていることが賢明というなら、なぜ白い眼で見られるのか、わしには分からぬ」

「それは生きていて当然のものが死んだからではないでしょうか」

「……」

「一途で心の清い方々、お腹を召されたのはそういう御方ばかりですから」

「それはそうだが、禁令を破るのはどうであろう、決まりは決まりとして守らねば家中の秩序はどうなる」

「さあ、存じません」

けんは眼を伏せて小さな吐息をついた。だが、それから突然にきらりと眼を光らせて又右衛門を見た。

「そのこと、主人にも忠告してくださったのですか」

「いや、あのおりはまだ禁令はなかったたし、殿やご重職の考えも知らなかった、しかしわしなりに言葉は尽くしたつもりだ」

「でも返書のひとつもありませんでした」

「何が言いたい」

「追腹などということを、いったいどこのどなたが考えたのかと思いまして……お殿さまが御家の主なら家臣もそれぞれに一家の主でございます、軍場で死ぬならともかく一家の主が自ら命を絶って遺(のこ)されたものはどうすればよいのでしょう、わたくしには小四郎に父を見習いなさいとは言えません」

「………」

「無駄死にを誇りに思う、そのような武士には育てぬつもりです」

「無駄死にには言いすぎであろう、仏を恨むのはよしなさい」

「おとうさまははじめから心のどこかで仕方がないと思っていたのではありませんか、そういう思いが恵之助どのに伝わったに違いありません」

「何を言うか、わしは殿が帰国なされたときも八方、手を尽くして恵之助どのを探し回ったのだぞ」

「それでは遅すぎると、わたくしはお願いいたしました、わたくしの言うことなどきっと信じていらっしゃらなかったのです」

けんがそう言ったとき、又右衛門は娘の眼に光る憎しみを見たような気がした。

「あれほどお願いいたしましたのに……」

「……」

「おとうさまのほかに頼れる人はなかったのです、それなのに……」

そこまで言いかけて突然、胸がつかえたように肩で息をし、けんはじっと又右衛門を見つめた。震える唇で何か呟いたようだが、そのとき、せきが又右衛門の茶を運んできた。

せきは二人のようすをおかしく思ったのだろう、黙って茶を出して下がると、

「どうかおかあさまを大切にしてあげてくださいまし」

とけんが蚊の鳴くような声で言った。

「せっかく無事に済んだのですから、おとうさまもせいぜいお体を大切になさっていただきませんと……」

「そなた……」

「帰ります、お邪魔いたしました」

けんは又右衛門の視線から逃げるようにそそくさと障子を開けて廊下へ出た。そしてまた障子の桟に手をかけたが、愛憎の入り乱れたような眼でもう一度又右衛門を凝視してから、今度はゆっくりと呟いた。

「ちくしょう……」

声は聞こえなかったが、唇がそう言ったように見えた。

七

組頭の佐々木兵左衛門（ささきへいざえもん）を介して真鍋家が義絶の通告をしてきたのは閉門が解けて間もない七月中旬のことだった。夏も暮れかけて城下の朝は涼しくなったが、日中は思い出したように暑くなり、夕には蜩（ひぐらし）が一斉に鳴きはじめる。それでも朝夕の庭には新涼のすがすがしさが感じられ、梢を揺らす風や泉水の小波には秋の声が感じられた。

だが、そうした屋敷の静けさと異なり、又右衛門にとって城はまるで針の筵（むしろ）のようで心が安まることはなかった。日が経つにつれて人々の又右衛門を見る視線は剝き出しの刃物のように尖鋭（せんえい）になり、聞こえてくる声は石の飛礫（つぶて）になった。僅か八石のご恩に小姓が報い、石田はなぜ追腹を切らぬのか、なぜ生きているのかという眼や声で、梶谷家老の失脚を目論み、ひとりでも多くの殉死者を出したい深田派の扇動はあるにしても度が過ぎるように思われた。

もっとも家中にとって梶谷家老の政策はそれだけ唐突だったわけで、実利はあるが主従の要である精神の問題を考えると不用意な断行と言えた。そして家中の誰よりもそのことを最も強く感じているのが、ほかでもない又右衛門だった。

主の悪評が聞こえたのだろう、この二月足らずの間に石田家では若党が二人、申し合わせたように暇をとり、中間がひとり無断で姿を消している。不名誉な家に仕えるのは奉公人にとっても屈辱なのだろう。又右衛門はくどくどと問わずに望むものには暇を与えた。

「きっとよい代わりのものが見つかります」

佐和は又右衛門の心中を案じたが、五百次は激怒して奉公人に主従の何たるかを切々と説いたかと思えば、あるときから忽然と姿を消したように影が薄くなり、寡黙になっていった。

やがて秋が来て、遠い山脈の木々が紅く色付くころになり、又右衛門は外孫の真鍋小四郎が恵之助の遺知として認められた百四十石のうち百石を継げることになったと、城勤めの間に風聞した。五歳の跡取りとしては上々の首尾だが、家としては不満の残る沙汰であり、当主が無役となった真鍋家は藩から別の屋敷をあてがわれ、城からやや離れた外ケ輪裏の二ノ町へ越していった。

「何でも知り合いの屋敷を訪ねては死んだ夫が来てはいないかと訊ねるそうな、真鍋恵之助が生きていると思っているのだろう」

真鍋の嫁女は気が触れたらしい、そんな噂を聞いたのはそれから間もなくだった。又右衛門は目の前が暗くなった気がした。気が触れたという言葉は疑わなかったし、恵之助を求めて徘徊するけんの姿もさっと思い浮かんだ。そういう脆さがけんにはあって、事実と考えるほうが自然だった。

けんの奇行はその後も耳にしたが、又右衛門は佐和には黙っていた。娘に義絶されただけでも十分な衝撃を受けているのに、気が触れたなどと聞いたら体にも障るだろう。義絶したのだから、いまさら手助けのしようもない。だが噂はどこからともなく伝わり、やがて五百次の口を経て屋敷を出ることのない佐和の耳へも届いたらしい。一目でいいからけんを見たいと言って、佐和は又右衛門を困らせた。

「しかし、その体では……だいいち、いつどこで会えるかも分からぬ」

「後生でございます、遠くから眺めるだけでよいのです」

佐和はいつになく頑固で、恵之助の月命日に真鍋家の菩提寺で待っていれば見かけられるのではないかと言った。けんが正気ならそれも叶うかも知れぬが、一方で恵之助を探しながら命日には寡婦として墓参するというのもおかしく思われ、

「一度、津万平に確かめさせてみよう、そして会えるようであれば、春になり暖かになったら二人で行ってみよう」

又右衛門は言ったが、本心では佐和に変わり果てた娘の姿を見せるのはどうかと思っていた。見ればおそらく声をかけたくなるだろうし、不憫にも思うだろう。案外にけんが正気で気が晴れるならいいが、却って胸を痛めるのではなかろうか。ただ佐和がそこまで熱心に望むのははじめ

てのことで、又右衛門も突きつめると同じ想いであったから、十月の命日には津万平を光覚寺へ行かせるだけは行かせた。けれども墓参したのは姑の杉と小四郎で、予想した通りけんは姿を見せなかったのである。

（やはりな……）

と又右衛門は思った。噂は事実で、わざわざそのことを確かめたようなものだった。津万平がそれとなく光覚寺の住職に確かめたところでは、けんが命日に墓参に来たのは一度きりで、百箇日の法要にも現われなかったという。あるいは杉が耄碌した夫とともに屋敷に閉じ込めているのかも知れず、その隙を見て徘徊しているのだとしたら、なおさら待ち伏せるのは困難だろう。

「もうしばらくようすをみよう、いずれ必ず機会はくる、それまでに体をよくしておくことだ」

又右衛門がありのままを伝えると、佐和は掠れた吐息をついた。

「もうあの娘には二度と会えぬような気がいたします、どうかいつかは許してあげてくださいまし」

「馬鹿なことを申すな、いましばらくの辛抱ではないか、けんはわしを恨みこそすれ慕いはせぬが、そなたのことは心から案じていよう」

しかし佐和はその夜から高熱を出して寝込むことが多くなった。医師は肝が弱っているといい、心身を休めて滋養を摂るしかないと同じことを繰り返すばかりで、病勢も一進一退を繰り返し、やがて寒さが厳しくなると暖かくした病間からひとりで出ることも儘ならなくなった。五百次は五百次で自室に籠りがちになり、又右衛門は朝夕の食事のときに顔を合わすほかは、やはりひとり悄然として過ごした。

そうして冬も行き、年が改まった正月の末に、又右衛門は医師のすすめもあって佐和を奥沢の湯治場へしばらく転地させることにした。奥沢は城下を流れる二股川の本流を三里ほど遡った山中にある渓谷で、沢辺から湧き出る白い湯は万病に効くと言われ、むかしから家中や領民に親しまれている。僅かな平地を利用した湯治場には藩主が遣う宿のほかに三軒の湯宿があり、身分を問わず利用できるが、そこまでの険しい山路と雪が難で、とくに冬の間は病人を駕籠に乗せて行くこともできない。

雪消えのうららかな日に、身の回りの世話をせきに任せて送り出すと、又右衛門は正直のところほっとした。少なくともこれで厭な噂が佐和の耳へ入ることはなくなり、徐々に心労から解放されるだろうと思った。自然の湯が体を慰め、山の気が心を癒してくれるだろう。ほとんど寝たきりだった佐和がいなくなっただけで屋敷は驚くほど閑散として見えたが、それも幾月かの辛抱だと思った。その間に、又右衛門は五百次の元服を行ない、何らかの手段で真鍋家と接触してみるつもりだった。そして佐和が帰ってくるころには少しは和解の目処をつけて、けんの姿を見せてやりたい。佐和の転地にはそうした意味もあった。

そのために又右衛門は梶谷家老の力を借りるつもりだった。まずは成り手のない五百次の烏帽子親を頼み、そして真鍋家との和解やけんとの対面にも労をとってもらう。真鍋家も家老の仲介なら無視できぬだろうし、梶谷家老にもそれくらいのことをする義理はあると思った。

ところが、久し振りに三ノ丸の家老屋敷を訪ねると、梶谷家老は用人に用件だけを聞かせて会おうともしなかった。しかも玄関先で五百次の烏帽子親はできぬと断わられ、こちらから連絡するまで屋敷へは近付くなとまで言われた。腹立ちを抑えて用人にわけを質すと、深田派の眼がうるさいという。だが小声でそう言った用人の眼こそ、臭いものでも見るような眼だった。梶谷家老にとっていまは小さな失策も命取りになりかねないということらしかったが、自分が訪ねて何がまずいのか又右衛門にはさっぱり分からなかった。ただこの一年足らずの間に、深田派が梶谷家老を萎縮させるほど勢力を伸ばしてきたらしいこと、そしてそのために梶谷家老が保身に懸命なことは明らかだった。

(だがそれがどうしたというのか……)

家老屋敷を出ると、又右衛門は月明かりの道を歩きながら顔を歪めた。重職たちの権力争いに自分が何の関りがあるだろう。追腹を断念したのは御家の将来のためであって、梶谷家老の手先になったわけではない。未だに家中からは白い眼で見られ、実の娘にはちくしょうとまで言われ、息を殺して生きているのも御家のためではないか。

(それを、命じた当の家老までが邪魔もの扱いとは……)

梶谷半左衛門への怒りとともに込み上げてきたのは、失う一方で得るもののない、ただそこに生きているという虚しさだった。

いつの間にか屋敷の近くまできたところで又右衛門は急に歩くのが億劫になって立ち止まった。あたりを見回すと、隅々まで見馴れた景色に人影はなく、外堀の水面が半月を映しているだけだった。月は揺れて消えたかと思うと、また現われては一片の花弁のようにあてどなく漂っている。又右衛門は道端に寄り、ふと柳の木陰から身を乗り出して外堀を覗いた。暗い水面に顔は影も映らなかったが、突然に途方もなく老いたような気がしていた。

八

「あれは、よくよく臆病な男だ」

物陰から聞こえてくる声に、又右衛門は以前にも増して敏感になっていった。あれという言葉はすべて自分の蔑称に思われ、あれは捨て置けと誰かが言えば、石田又右衛門は捨て置けというふうに聞こえる。登城すると異常に神経が高ぶり、緊張のためにやたらと喉が渇いて唇が白くなった。以前はそれでも生きているのは筆頭家老の指図だという支えがあったが、いまはそんな気にもならない。家に帰ればほっとするが、夜は深く眠れず、うつらうつらしているうちにまた朝がきてしまう。

そういう一日はただ長く苦痛だったが、それでも日は過ぎてゆき、飛騨守の一回忌を迎えると、又右衛門は身の縮む思いで法要に臨んだ。五月に入ったその日、城下の実昌院で営まれた法要には家中の大半が参列し、上士は本堂に列座したが、又右衛門が末席を選んで座ると、となりはじきに空席となり、背後の境内からはひとりぽつねんとしている男を凝視する眼が感じられた。

(のうのうと生きているのは貴様らも同じではないか)

誦経の間、又右衛門は呪文のように胸の中で言い続けた。

(わしはただ生きているのではないぞ)

しかし、その顔は頬がこけ、勢いよく伸びた眉尻とは逆に、その下で縮んだ眼は確固たる信念があるようには見えなかった。むしろ彼らが囁くように臆病な老爺に近い風貌に変わっていたのである。その顔を、又右衛門はときおり佐和の部屋で彼女の手鏡で眺めることがあった。僅か一年ですっかり造作の変わった顔を我ながら醜くなったものだと思うこともあれば、そういう歳になっただけのことだと思うこともある。だが自分で自分の眼を見つめると、やはりかつての輝きも気骨も失せて臆病に見えるのだった。

佐和に会いたい、と一月ほど前から又右衛門は頻繁に思うようになった。今年は庭の菖蒲が見事に咲いて、晴れた日の早朝には泉水までが紫立(むらさきだ)って見える。山中の奥沢あたりでは咲かぬだろうから、可憐な姿を見せてやりたいと思う。佐和が転地してからまめに手紙は交わしているし、体の具合も悪くなさそうなので安心だったが、たとえ寝たきりでも傍にいてほしいと思うようになった。それもこれも自分を理解してくれる人間が恋しいせいかも知れない。いずれは孤独や悔悟と戦いながら老いてゆく定めの人間に、ほかに何の縁(よすが)があるだろうか。

（わしはただ生きているのではない……）

そう自分に言い聞かす一方で、又右衛門は武士として大義を見失っていることにも気付いていた。だがそれは追腹を云々しながら権力の座を争う重職らにしても同じことで、それに引きずられている家中も似たようなものではなかろうか。追腹の是非を論ずるのであれば、死んだものを称えるだけではなくて生きている人間の苦悩も見つめてほしい。

誦経の声を遠くに聞きながら、又右衛門はなぜひとこと殉死は無用と言い残してくれなかったものかと、聡明だった飛騨守をうらめしく思った。それとも禁令はまったく梶谷家老の独断なのだろうか。

身の置き所のない、俗世にばかり心をとらわれて法要が終わり、城へ戻ると、又右衛門は評定もないので同役の小川兵庫へ気分が悪いと言って一足先に下城した。それもまたすぐに噂の種になるに違いないと思ったが、実際に微熱があって気怠（けだる）かったのと、自分のいないところで存分に言いたいことを言えばいいのだと思った。そうして城を下がるときの気分はしかし、足がもつれそうになるほど情けなく、やはりどこかで誰かに笑われているような気がした。

道は前日の甘雨（かんう）にまだ濡れていて、又右衛門はときおり足をとられそうになりながら歩いた。老いの実感は不思議とそう思ったときから体にも表われて、いままで何とも感じなかった腰の刀が重く、膝がぎくしゃくとしている。追腹を切らなかった付けがいまになり回ってきたかのように、気持ちは生きているのがつまらなくてならない。生きる目当てが霞んでしまうと、強く生きてゆこうという意志もどこかへ消えてしまった。あるいはこのまま藪の悴枝のように、ただ枯れてゆくのだろう。

外堀に沿って屋敷の見えるあたりまできたとき、ぽつぽつと落ちてきた雨に気付いて又右衛門は空を仰いだ。灰白の空に厚い雨雲はなく、通り雨のように見えたが、雨はじきに激しく降り出して後から黒い雨雲を運んできた。雲はまるで滲み出るようにみるみる空を被い、もう日の在処すら隠している。

（常在戦場か……）

ふと又右衛門が思ったそのとき、屋敷の方角から猛然と雨の中を近付いてくる黒い人影が見えた。人影はすぐに津万平と分かり、津万平も又右衛門と認めたようである。

「旦那さま」

と津万平は形振りかまわず駆け寄ってくるなり、まるで顎が外れたように半開きにした口で言った。

「い、い、五百次さまが……」

「五百次がどうした」

「ご、ご切腹……」

いきなりそう言って屋敷のほうを指差しながら、又右衛門を凝視した眼がいまにも飛び出しそうだった。

又右衛門は肩で太息をついた。

「旦那さま……」

「うむ」

と言ったが、手足がひきつり、まったく動けなかった。

九

（何ということだ……）

又右衛門は容赦なく吹き付けてくる風雪に打ち震えた。無理に気力を絞り、這い上がろうとすればするほど、失意のどん底へ落ちていった。悔やんでも悔やみ切れず、いまさらどう詫びてよいのかも分からない。

藩へは急死として届けたものの、日が日だけに父親に代わり腹を切ったのだとか、亡き飛騨守が待ちかねてあの世へ召されたのだとか言われた。はじめて事実が噂となって又右衛門は二重に狼狽したし、その身で父の汚名を雪ごうとした五百次の気持ちを思うと自身のことよりも遣り切れなかった。

（なぜ事を分けて話しておかなかったものか……）

真鍋恵之助のときもそうだが、すべてが後手後手に回り、結局は死なせてしまった。自分の重荷や苦しみばかり考え、父として子がそういうことを考えるであろうことすら思い及ばなかった。

（佐和に何と言えばよいのだろう……）

初七日が過ぎても又右衛門は湯宿には知らせをやらず、とうとう四十九日の法要も終えて夏も暮れるころになってせきに文をしたためた。できればその前に風聞してくれたらと都合のいいことを思ったが、奥沢ではそれもかなわず、秋に帰宅していきなり驚かすよりはましだろうと思った。

五百次が死んだことで石田家は養子を迎えなければ存続できなくなったが、自分の代で絶えるなら、それはそれでいいという気がしている。どうせ家禄目当ての恥知らずしか養子の来手はないだろう。それよりも佐和が受けるであろう衝撃が恐ろしく、せきなら手紙よりも少しはうまく伝えてくれるだろうと思い、見栄もなくしたためたのだった。

果たしてせきはうまく五百次の死を伝えてくれたらしく、初秋に受け取った佐和の手紙には動揺したようすはなく、むしろ淡々として、むかしのように夫婦二人きりになったのですね、と書かれていた。旦那さまもお心を強く持たれて過ごされますよう、わたくしも一日も早くお側に参りたいと存じます、そう書かれていた。

だが秋がすすみ、やがて冬が来ても佐和は屋敷へ戻らなかった。何かと煩累の多い城下で冬を越すには体が弱り過ぎて、というよりは三里の帰路ですら耐えられそうにないらしかった。そう聞いたとき、又右衛門はすぐに奥沢へ行こうと思った。けれどもそういうときに限って評定が重なり、本来の役目に忙殺されたのである。

　彼がようやく奥沢へ赴いたのは冬も一段と厳しくなった十二月で、早朝には城下を発って深い雪に被われた山路をひとり黙々と歩いた。藩からは非番と合わせて五日の休みがもらえたが、往復にかかる日程を除くと正味三日の逗留になるはずだった。その間に佐和と今後のことを話し合い、できれば自分は隠居して二人でどこか小さな家で暮らすのはどうかと、又右衛門は提案するつもりだった。

　冬の山路は想像していたよりも遥かに険しく、ほとんど上る一方で景色に変化のない三里の道程は一里が十里にも思われた。幸い空は晴れて、雪肌の照り返す陽に汗が流れ出るほど暖かかったが、山の天気は変わりやすいと聞いていたので、又右衛門は休まずに歩き続けた。道はほぼ一筋で吹雪(ふぶ)かなければ迷う心配はないものの、距離感がつかめず、かなり歩いたつもりでも振り返ると同じところにいるように見える。果たして昼前には着くだろうと考えていたのが、山峡(やまかい)に湯宿の煙が見えたときには未の刻（午後二時頃）を過ぎていた。

　ようやく湯治場の外れまできたとき、入口に両側の空いた形だけの木戸が見え、その陰に雪袴(ゆきばかま)をつけた二人の女の姿が見えた。ひとりがもうひとりの肩を抱き、又右衛門のほうをじっと見ている。いつからそうしていたのか、せきと佐和だった。佐和はやっと立っているようすで、近付くとせきに比べ、痩せて青白い顔が目立った。

「待っていたのか」

およそ十ヶ月振りの言葉に、佐和は小さくうなずいた。

「旦那さまにはお変わりなきごようすにて安堵いたしました、我儘ばかり申し上げて……」

「挨拶はよい、病人がこんなところにいてはまずい、さ、宿へ行こう」

又右衛門が促すと、せきがわたくしもそう申し上げましたのにと言って、「大野屋」という宿へ案内した。佐和は歩くのも辛そうで、目と鼻の先にある宿へ戻るとぐったりとした。

「かなり悪いようだが、近ごろはどのようなようすだ」

いったん佐和を休ませてから、又右衛門は別の部屋でせきに訊ねた。その眼で顔を見たときから疲れは忘れていたが、それ以上に佐和の容態には驚かされていた。

せきは小声で呟くように言った。

「こちらへ来てからいっときはとてもよくなられたのですが、このところとくにご気分が勝(すぐ)れぬようでございます、食もあまりすすみませんし……」

「やはり五百次のことが……」

「それもございましょうが、お体そのものが弱っておられるようです」

「薬を替えてみてはどうだ」

「もちろん幾度か試みました、いまは念のためご城下の金井長達(かないちょうたつ)先生から送っていただくお薬が二種二通り、湯治場で抱えている針立(はりたて)師にも相談して、ときおりみてもらっております」

「すると、あとは当人の気力しだいか」

「それが一番に欠けております」

せきが言うように、佐和は以前よりも病と闘う気持ちが減って、生きることに恬淡としているように見えた。

その夜、夕餉のあとで寝間をともにした又右衛門へ、佐和は二つ並べたとなりの夜具から、これが最後の機会になるかも知れないのでと言って、突然に自分の死後のことについて話した。

「わたくしが死んだのちは、どうかご遠慮なく若い後添いをおもらいくださいませ」

「ほう、久し振りに聞く佐和の冗談だな」

有明行灯の仄かな灯が照らす天井を見つめながら、笑いに紛らした又右衛門へ、

「いいえ、わたくしは本気でございます」

佐和は同じように天井を見ながら言った。

「こうして山の湯で湯治させていただきながら、いろいろと考えておりました、それでなくとも大変なときに旦那さまのお役に立つどころかご面倒ばかりおかけして、まことに悪妻でございます」

「そのようなことはない、病はときを選ばず誰の身にも降りかかる厄災であって、決してその人の罪ではない」

「ですが、現にお世話になるばかりで何もして差し上げられません」

「それも病では仕方あるまい、男にとって妻はいてくれるだけでいい、年寄るとそんなものかも知れん」

「旦那さまはまだお年寄りというほどではございません……けんが去り、五百次が去って子がいなくなり、やがてわたくしもお側を去ればおひとりになられてしまいます、できれば後添いの方との間に子を儲けていただきたいのです」

「馬鹿を申せ」

又右衛門は佐和にも聞こえるように苦笑した。

「いまさら子を儲けて元服も見られずに死んでは子が哀れというものだ、そもそも後添いなどと考えたこともない」

「それは是非ともお考えいただきませんと……世に悪妻は一生の不作と申します、せめてあと十年、二十年なりと良妻といわれる人と暮らしていただきたいと存じます」

「わしにとってはそなたが良妻だ、それでよい、ほかに考えるつもりはない」

「………」

「そなたが患わなければこうして奥沢の湯に浸かることもなかったであろう、雪の山路を歩いたあとの湯は格別だし、屋敷の湯殿では味わえぬ温もりと趣がある……それにわしも道々いろいろと考えてきた、およそ人の一生は苦しいことばかりだが、なに、過ぎてしまえば僅かでも楽しかったことが思い出される、今日のことにしろ、あとで思い返せば目に浮かぶのは差し詰め雪景色と湯煙、それにこの安普請の天井というところだろう」

「これは安普請ではございません、行灯の煤(すす)やら湯煙が染みてこのように見えますが、元は何かよい白木にございます」

「ほう、さようか」

又右衛門は目を凝らしてまじまじと見た。

「すると、佐和のようなものだな」

「え……」

「いろいろ染みて少々古く見えるが、まことは良き妻だ」

「まあ、お世辞でもうれしゅうございます」

佐和は心なしか噎びながら、くすくすと笑った。だがその裏にある死の予感が、そのとき佐和ひとりのものから夫婦のものとなったのを又右衛門は感じていた。

「わしは世辞は苦手だ……」

と又右衛門は言った。もう少し佐和の笑い声を聞きたかったが、言葉が続かず、薄黒い天井を見つめるうちに山のどこかで五百次が佐和を呼んでいるような気がした。

十

それから半年足らずのうちに佐和が逝ったとき、又右衛門は果たしてその夜のことを思い出した。仄かな行灯の光の中で夫の些細な言葉に笑った佐和は、いったい何を楽しみに生きたのだろうかと思った。若いころの又右衛門は家禄を増やすことに夢中でほとんど家を顧みなかったし、それが結局は家族のためにもなるものと思っていた。知らず識らず正当な理由を付けて、我欲を通してきたのである。当主であるからそれが当然といえば当然だが、その結果、得たものは僅かな加増と汚名に過ぎない。

佐和はそういう夫に仕え、子を育て、ようやく一息つけるころになって、嫁いだ娘に義絶され、息子には死なれ、そして自らは大病を患い、夫の悪名と娘の醜名を聞きながら死んでいった。ひとりになって自分の歩んできた道を振り返ってみたとき、少しは充実したときが持てたと思うのに比べて、佐和の生涯は夫への献身と腐心で鬱屈した日々を積み重ねたに過ぎないように思われた。

又右衛門の悪名は二年を経ても変わらず、同情を集めるどころか、次々と家族を失ってゆくのは天罰であるかのように言われた。奉公人もひとりまたひとりと暇乞いし、残ったのは津万平とせき、そして下働きの老夫婦のみである。代わりは随時雇っているが、支度金が目当てらしくくじきに辞めてしまう。心から支えてくれるものが少なくなって、又右衛門は津万平やせきの値打ちが見えるようになった。けれども家族のいない屋敷はやはり閑散として、耳をそばだてずとも間遠く聞こえていた彼らの感情の波音や団欒の気配とは無縁になった。季節の声は不思議なほどはかなく聞こえ、鮮やかな花や鳥の姿も色褪せて見える。気が付くと指先が始終震えて、筆をとるのも億劫になっていた。

唯一の頼りだった梶谷家老からは何の連絡もなく、その後、深田家老との確執がどうなっているのかも聞こえてこない。ただ梶谷家老が押し進めていた藩の事業がことごとく頓挫していることから、深田派の造反は衰えることなく続いているらしかった。もっとも聞いてどうなるわけでもなく、又右衛門の関心はむしろ義絶した真鍋家にあったが、そのようすはさらに知れなかった。

その年の秋の彼岸に菩提寺の運慶寺へ墓参したとき、又右衛門は墓前に香華(こうげ)を手向(たむ)けながら、父母も妻子もなく生きているのはつくづく無駄な気がした。彼らのいた過ぎ来し方を思い返すばかりで何の目的も望みもないことに気付くと、世間に悪態をつかれてまでがむしゃらに生きるのは馬鹿げているとも思った。家名も屋敷もいずれはなくなるのだし、御家の家臣譜に残るのは汚名だけだろう。

生きれば生きるほど恥辱に塗(まみ)れ、醜態をさらすだけではなかろうか。しかし、いまさら腹を切ったところで誰も追腹とは思わぬだろう。それどころか主君の跡は追えぬが女房の跡を追ったと言われるのが落ちであった。

寺を出ると、門前の小さな茶店から味噌の焼ける匂いが漂ってきて、又右衛門は誰もいない店先の縁台に腰を下ろした。豆腐の田楽は父母と浪々の旅をしていたときに、よく昼餉がわりに食べたもので、ひとつではとても満たされなかったが、茶だけ飲んでいた父母に比べれば贅沢な昼餉だった。懐かしく感じたのは、暗澹とした思いで生きていながら日に一度の田楽に喜び、毅然とした父母の姿に一筋の光明を見ていた自分かも知れない。

（あのころのほうが……）

よほど生き生きとしていたと思いながら、

「茶をもらおうか」

又右衛門はすぐに店から出てきた色黒な小女に言った。

「それと焼き立ての田楽をひとつ」

「木の芽入りと卵とありますが……」

「木の芽がいい」

だが間もなく運ばれてきた田楽には口を付けずに、香りだけを味わいながら、又右衛門は小刻みに震える手で茶をすすった。父も母もそうして子を守り、ついには自ら活路を開いたのだと思うと、その子でありながら、ただ悶々としている自分があまりにも情けなく思われたのである。

両手で包むように湯呑を握りしめながら、又右衛門はうっすらと白く見える吐息をついた。日は中空にあり、晴れてはいるが肌寒い日だった。冷えた風が表通りから木立に挟まれた参道を吹き抜けてきて、寺の門前で落葉とともに小さな渦を巻いている。彼はどこにいても落ち着かない自分を感じて、茶を一服すると腰を上げた。あわてた小女に呼び止められるまで勘定のことも忘れていた。

蹌踉（そうろう）として屋敷へ向かいながら寺町の外れまできたとき、又右衛門は前方から来る人影に気付いて立ち止まった。寺の杜と水路に挟まれた道はまっすぐで見通しがきいたが、気が付いたときには人影は二間ほどのところに迫ってい、彼もまた同時に足を止めてこちらを見た。

（小野寺どのか……）

又右衛門が目礼して、二、三歩、歩み寄ると、上背のある男は無言のまま小さく辞儀を返してきた。おどおどとして、人に出会えば誰にでもそうするような仕草だった。だがしばらく見つめ合ううちに、男は急に顔色を変えて病人のような足取りで近付いてきた。

（やはり、小野寺どのだ……）

と又右衛門は思った。間近に見る小野寺郡蔵はしかし、濃い眉を除くと別人のように面影がなく、痩せて肩が落ち、髪は八分通り白くなっていた。

「石田どのか……」

彼はそう言って破顔したが、浮き出た頬骨の下で薄皮が引きつり声は震えていた。

「ああ、石田どの」

そう繰り返しながら、驚きと親愛の眼を向けてきた小野寺へ、又右衛門も我知らず破顔して応えた。変わったと思ったのは小野寺も同じだったのかも知れない。二人は継ぐ言葉もなく立っていたが、ややあって卒然と小野寺の眼に涙が浮かぶのが見えて、又右衛門は幾度となく小さくうなずいた。

「やはり、そうでしたか」

「………」

「あなたも、そうでしたか」

するとと小野寺はようやく聞こえるような声で言った。

「死にたい……」

「……」

「わしはもう生きていたくない、しかし、いまさら腹は切れんのです」

ええ、ええ、と言うように、又右衛門はまたうなずいた。まったく同じだった。小野寺郡蔵の顔には言葉以上に苦悩が表われていたし、涙は相手が又右衛門だからこそ溢れたのだろう。鏡を見るような思いでその顔を見つめていると、

「誓紙は誓紙、金打までしたからには腹は切れませんが……」

小野寺が言い、やはり翳(かす)んできた眼に辞儀をするのが見えた。

「これから、どちらへ……」

そう言ったつもりが声にならず、よろよろと去ってゆく小野寺を見送りながら、又右衛門はいったいどうするつもりだろうかと思った。皮肉なことに小野寺の背にはまるで死神がついているようで、そのときになり、なぜそこにいてどこへ向かうのだろうかと思ったが、痩せ衰えて悒々(ゆうゆう)とした姿は、ただ目の前にあるまっすぐな道を意志もなく歩いているように見えた。

又右衛門は踵(きびす)を返して、またとぼとぼと歩き出した。道の先には城が見えている。小野寺を見たときにいくらか軽くなった気分は消えて、もう一度、振り返る気にはならなかったが、自分の

行く手にも稜々（りょうりょう）とした城が立ちはだかって見えるだけであった。

年が改まった春の終わりに城下を洗う嵐があって、そのまま縺（もつ）れ込むように梅雨に入ると、又右衛門は病を理由に当座の御役御免を願い出て屋敷に籠るようになった。眼に見える病状は血尿と嘔吐だが、重い気鬱と倦怠感が重なり、体がどうしても思うように動かなくなった。

つい十日ほど前に小野寺郡蔵が断食して果てたと聞いたときから気が動転し、ひどく興奮したことが引き金になったようである。嵐が去って雨は静かな降りになったが、雨音が耳に付いて眠れず、空が暗い日は昼も夜も判然としない。病みほうけた顔をしてうつらうつらする日を続けるうちに、又右衛門は何のために食べ、薬を飲むのかも分からなくなっていた。

家政は津万平に任せ、せきに介護してもらいながら、ときおり思い出したように筆をとることがあったが、それも根気が続かず、隠居願やら大まかな家財の目録をしたため終えたときには半年が経っていた。隠居はそうしろと言われればするし、目録はこのまま命が終わるようなら最期に切り裂いて奉公人に分け与えるつもりだった。しかし藩からは何の勧告も沙汰もなく、体は体でよくも悪くもならず、ただ月日だけが過ぎてゆく中で、又右衛門はとうとう毎日を無為に過ごすことにも飽きて、梶谷家老へ宛てて書状をしたためはじめた。どうせ恥辱に塗れたまま死ぬのだから、恨みつらみを吐き出してやろうと思ったのである。

ところがいざ恨みを綴り出すと、どれもこれも力を出せば克服できたはずのものに思われ、書けば書くほど泣き言を並べているような気がした。家中の誹謗中傷は容易に予想されたことだし、自信さえあればこれほど翻弄されずに済んだのではないか。けんとの誤解や義絶は父としての過失が大きな原因だろうし、横死のように思われた五百次の死にしても予防できたことである。佐和が死んだのは病のためであって、その生涯を左右したものがいるとしたら夫である自分ではないか。

死んだ小野寺郡蔵の分まで書いてやるつもりが、胸のうちを文字にしてみると、恨みの正体が見えてきて、その薄さに気付かされたのだった。長い間、評定を聞いたままに書き留めることに馴れてしまい、中身の重さや真意について考えぬことが癖になっていたのかも知れない。

(こんなことでわしは苦しんできたのか……)

何もせず、ただ恐れ立ち尽くし、嵐が去るのを待っていただけではないか。吐けるだけ吐き出し、自分の不甲斐なさを差し引いてみると、あとに残ったのは不当な扱いをする世間への反骨と、そういう事態を放置している梶谷家老や重職に対する正当な不満だった。

そのことに驚き、後悔もしたが、又右衛門は何よりも闇の中に一条の光がさしたように思った。彼は三日ほどかけて書いた手紙を破棄した。隠居願も目録も反故(ほご)にして、それから一両日の間よくよく考えた末に津万平とせきを呼んで明日から出仕すると告げた。伸び放題だった月代(さかやき)と髭を剃り、努めて人並みの食事をとり、そして生き返ったようにこう言った。

「長らく面倒をかけたが、この通りもう大丈夫だ、今後は歩ける限り何があっても出仕いたすゆえ、そう心得て仕えてもらいたい」

　突然に人が変わったような主に津万平とせきが驚いたのは当然だが、又右衛門は自分でも病毒が抜けたような気がしていた。徐々にだが病はそれから快方に向かい、削げた肉が戻るにつれて人相も変わると、彼は見違えるように精悍になった。城でも堂々として返事がなくとも挨拶をし、陰口をきかれても腹は立つが動揺はしなくなった。

（僅かなことで……）

　人は変われば変わるものだと、やがて他人事のような感想がもてたとき、又右衛門はようやく本来の尊厳を取り戻したらしい自分を感じた。それが当然のように毅然として白眼を白眼で見返し、青眼を向けてくるものがあれば青眼で応じるという、感情の生き物としてごく普通のことができるようになったのである。もっとも青眼に出合うのはごくごくまれであったから、その顔は歳をとるにつれて穏やかになるどころか、ある種の凄みさえ帯びていった。

「ほほう、貴公があの石田どのか、なるほどしぶとそうな面構えでござるな」

　あるとき評定に現われた新参の若い町奉行に面と向かって言われると、又右衛門はただ辞儀をして深田長之介というその男を睨み返した。男が深田家老の子息であることは知っていたが、あの石田という言い方に蔑みが込められていたからである。果たして眼を逸らし、踵を返して間もなく舌を鳴らした深田長之介へ、

（おぬしに人間の値打ちが分かるか……）

又右衛門はその背に向かっていつものように胸の中で言い返した。常に胸を張り、堂々と白眼を見返すことで、生きていることを恥とも思わなくなった。が、しかし、深田の舌打ちが自戒ではなく嘲り（あざけ）の追い討ちであったように、その後も心ない家中の中傷が絶えることはなかったのである。

十一

雨が上がり、薄日の差した庭に群生した菖蒲が見えている。薄い日差しのせいで鮮やかさはないが、濡れた紫は濃い緑に溶けてしまうようでいて、棚引く雲のように泉水を縁取り、頭を揃えている。西側がやや涸れて小さくなった泉水を挟んで、その向こうにある松や楓（かえで）もいつの間にか背を伸ばし、庭全体がむかしよりも狭く感じられるほどであった。

又右衛門は縁側に胡座（あぐら）を組んで、まだしとどに濡れている庭を丹念に眺めていた。そうして過ぎ去った歳月を振り返っていると、信じられぬほどの早さで時は過ぎ、気丈に生きてきたことも一夜の夢でしかないような茫々（ぼうぼう）とした気分になる。昼前に五百次の十三回忌を営み、墓参して帰ると、雨が止み、空が明るくなった。ひとりで着替えていると、せきが茶を淹（い）れてきて菖蒲が見頃だと言った。

（あれからもう十二年か……）

又右衛門は六十三歳になっていた。その間に藩では執政の交代が二度あり、一度目は深田家老が念願の筆頭家老となって権勢をふるったものの、藩の事業はその手で排斥した梶谷家老の計画を丸ごと継ぐ形となり、斬新な政策も実行力もないまま派閥人事と独善によって権力の座に胡座をかいて終わった。その専横な振舞いに失望したのは、恩眷の外に置かれた家中だけではなく藩主の飛騨守宗之もそのひとりだった。そして結局は上意によって罷免され、その後始末を任されたのが、ほかでもない梶谷半左衛門だったのである。

梶谷家老の復権を可能にしたのは、新執政になって藩の財政が悪化したうえに、数年前から深田家老の不正が浮かび上がったためで、さらには昨年の五月に幕府が殉死を禁止したためだろう。七月には深田家老が失脚し、そもそも殉死の禁令がもとで失脚した梶谷家老の復帰が決まった。

又右衛門は去年の暮れに隠居を願い出て許され、諸々の手続きを終えたのが春三月である。いまは外出することも減って、気楽といえば気楽な身分だが、子も孫もないひとりの老爺になってみると当然のことながら寂寥を感じずにはいられなかった。気息奄々としながら懸命に生きてきた結果、屋敷のほかはすべて失い、ここへきて汚名はいくらか雪いだような気はするものの、詫びを言いに来るものはひとりもいない。髭は生えるが髪はほとんどなくなり、深い皺と肝斑がつくる容貌は齢よりも老けて醜くなった。しかし眼だけはいまも人を睨み返すように毅然として輝いている。相手が誰であろうとも決して弱みは見せない、そういう顔になってしまった。

(佐和が生きていたら……)

何と言うだろうかと又右衛門は思った。

ですから早く後添いをおもらいになればよかったのです、そして子を儲けていればこれほど淋しくはないでしょうに……だが、そんな気は起こらなかったし、仮に起きたとしても佐和よりも自分にふさわしい相手はなかっただろう。養子縁組にしたところで、こちらが望んだわけでもないのに二、三、縁談があったのは幕府が殉死を禁止し、梶谷家老が復帰したあとのことで、家禄が目当てと見え透いていたから又右衛門は断わっている。いまさら赤の他人と暮らすのも厭なら、老いて気弱になったと言われるのも厭であった。

恥知らずと言われながら六十二歳まで出仕したのも役料が欲しかったわけではない。生きて働くことで自分を支え、白眼視した家中を見返したかっただけである。当然いただける隠居料を辞退したのは財政難の御家のため、世間に対する意地であった。まったく頑陋でないといえば嘘になるが、頑迷でもないと又右衛門は思っている。

陋習にとらわれてきたのは自分を侮蔑した家中であって、そのくせ絶大な権力が決めたことには従順ではないか。物事が正しいか否かは権力の意向とは別のものであるのに、自ら判断を放棄したも同然だろう。そういう輩がのうのうと生き長らえて、一途な人が死んでいった。自分も生きているが、のうのうと暮らしてきたわけではないし、結果として少しは人の役に立ったかも知れない。

（だが……）

雨上がりの庭を眺めながら、又右衛門はそれでよかったのだとも思えなかった。満ち足りない、というよりは辿り着いたところが荒涼としすぎているせいかも知れない。庭が狭く見えたり菖蒲が霞んで見えるのも、老いた眼のためだけではないような気がする。

(五百次がいたなら、この庭も違って見えるだろうに……)

そう思っていたとき、せきの足音が聞こえて又右衛門は丸めていた背を伸ばした。

「茅巻(ちまき)をお持ちいたしました」

せきは蒸した藺草(いぐさ)の香る小皿と新しい茶を置くと、空の湯呑をとって盆に載せた。

「このまま晴れるとよいのですが……」

「うむ」

「あとで津万平さんと碁を打たれてはいかがですか」

「うむ」

又右衛門はどちらでもいいように思いながら言ったが、いつまでも変わらぬせきの心遣いには頭の下がる思いだった。津万平は縁あって下士の娘を妻に迎えたが、せきはとうとう一度も嫁がずに仕えてきた。歳ももう三十は過ぎるだろう。又右衛門の事情ですすめる縁談がなかったこともあるが、せきのほうからそれらしいことを口にしたこともなかったのである。そのことについて、ふと聞きたくなって又右衛門は言った。

「せきはなぜ嫁がなかった、やはりわしのせいか」

「………」

「そうだとしたら詫びねばならんな……」

「いいえ」

とせきは否定したが、突然のことで少し動揺したようだった。

「そうではございません、旦那さまのせいだなんてとんでもない、わたくしはここが好きで離れたくなかっただけです、赤子を間引くような貧しい村に生まれましたから、また貧しい家の人間になって子を生みたいとは思いません、それよりもこうして毎日きれいなお庭を眺めたり、大きなお屋敷で働くほうが性に合っております」

「まことか」

「はい」

「ただ、それだけか……」

「いけませんか」

と言って、せきは照れたように笑った。

「いつでしたか奥さまがこう申されたことがございます、何を幸せに思うかは人それぞれだと、たとえ病で寝たきりでも日差しが濃くなると心も明るくなるし、風が花の香を運んでくればもうそういう季節かと思う、起き上がりその花を見ることができたら、それだけでも病人は幸せです」

「佐和がそのようなことを……」

「はい、奥さまは立派な御方でした」

せきは声を詰まらせたが、一度、息を継いで気を取り直すと、

「茅巻に添えられていた文にございます」

そう言って先刻から胸元に覗いていた封書を取り出した。見ると手紙は梶谷家老からのものだった。

(いまさら何のつもりだろうか……)

又右衛門が不審に思い眺めていると、

「津万平さんが、しばらくお側でお待ちするようにと……」

せきが辞儀をして眼を伏せたので、又右衛門はその場で開封して読みはじめた。だがそれはいくらか長い手紙で、読み終えるには時がかかった。しかも中身はつらい役目を押しつけたことに対する詫状と言っていいもので、又右衛門は読みすすむうちに胸が波立ち、腹が立った。

自分が五十になってはっきりと分かったことだが、と梶谷家老は当時の又右衛門の歳になってみて、追腹を禁じたことは間違いではなかったものの、そのために幾人かの家中に犠牲を強いたのは自分の不徳だったと詫びてきたのである。小野寺郡蔵を死なせたことはもちろん、事を急ぐあまり、結果として藩政を滞らせ、家中を分断したのも然り。いま思うと、五十という、これから穏やかな余生を考える歳のものに強いることではなかったし、それでも気丈に生きてくれたそ

なたの苦労に報いる術があるとも思えない。しかしほかに思い付くこともないので、使いのものに託す品を詫びの印と思い笑納してもらいたい、と手紙は締めくくられていた。

（こんなもので……）

報われるか、と又右衛門は思った。失ったものは大きく、掛け替えのないものばかりである。過ぎてしまえばいっときのことかも知れぬが、暗く長い道はまだ続いている。たかが詫状ひとつで忘れられるほど軽い歳月ではない。

読み終えたままうつむいて口をへの字に結んでいると、

「旦那さま……」

とせきが声を震わせた。

「ご覧くださいまし」

仕方なく顔を上げると、泉水の少し手前に津万平がこちらを向いて立っていて、そのうしろに二つの人影が見えた。津万平がそこへ案内したのだろう、菖蒲の中の小道に立っているのは女と若い侍だった。食い入るように見つめる又右衛門へ、二人は息を合わせたように深々と辞儀をした。遠目にも女は楚々として男は若鮎のようだった。

そうして二人が立つと不思議と菖蒲までが浮き立ち、深く沈んだ気配の庭が華やいで見える。雨上がりの重い空気がどこかへ去って菖蒲が匂うようでもあった。

きつく嚙みしめた頤を突き出し、又右衛門が毅然として見つめていると、

「お嬢さまですよ」

とまたせきが言った。

「それに小四郎さまも……あんなにご立派になられて……」

だが又右衛門はそういう顔しかできなかったのである。彼にとり、その顔に表われる気骨と嫌悪は生きてきた証(あかし)でもある。悔恨や寂寥は腹に仕舞って顔には出ない。けれども思わぬことが起き、遠いむかしに別れたはずの二人がじっと自分を見ている。

(こんなことで……)

彼は歯ぎしりをした。ややあってせきがまた何か言ったようだったが、まるで聞きとれなかった。

又右衛門はもう一度、背筋を伸ばし、かたく拳を握りしめた。震える唇を嚙みしめ、これでもかと凜(りん)として二人を見つめながら、やがておろおろと泣き出した。

安穏河原

一

　あれはたしか六歳の秋だったから、享保十七年のことになるだろうか。父母に連れられてどこかしら急な岨道を下ると、鮮やかな雑木紅葉の下に川の流れが見えて瀬音が冷たく聞こえてきた。薄暗い斜面から光の中へ出ると、そこは石の河原になっていて、元々そういう地形なのか雨の少ない年だったのか、川は見えるところでは細い流れになっていた。

　それまで歩いてきた道が暗かったので、双枝はその河原へ出た瞬間、夢の中でしか見られない別世界に踏み込んだような気がしたのを覚えている。澄み切った空に映える照葉がたとえようもなく美しく、一目で目蓋に焼き付く光景だった。紅は漆や櫨で、黄葉は柏や櫟だったかも知れない。ときおり川面に憩う落葉が、いま思い出すとそんなふうだったような気がする。

　親子は河原に腰を下ろし、母が用意した握り飯と里芋の煮物を食べながら、そこで昼のひとときを過ごした。どういうことを話したかは覚えていないが、まだ若く美しかった母は心から寛いでいるようすで、父は瓢簞から酒を飲んでいた。

当時、父は八十石の郡奉行で、夏が過ぎても日に焼けている顔はそれだけで逞しく見えた。どんなときでも毅然としている人で、躾も厳しかったが、その日だけは嘘のように優しかった印象がある。普段はいつ見ても険しい顔が、たえず口元がほころんでいたからだろう。双枝は晩秋という季節の淋しさも、じきに散ってしまう紅葉の儚さも知らなかったが、父は腹をくくって自身のそういう運命を笑っていたのかも知れなかった。人生の厳しい冬を前にして、父もいっとき輝いたような日だった。事実、それから数日後に父は退身し、一家は国を去ることになったのである。

双枝は幾年かのちに知ったことだが、その年は諸国で蝗害があり、西国から飢饉が広がっていたそうである。そのころ藩ではすでに主要な経費を城下の豪商に賄わせるほど財政が逼迫してい、それでなくとも金不足のところへ凶作が重なった。あわてた執政は最悪の事態を乗り切るために、夏ごろから家中に献策を募り、その中で最も期待されたのが、藩が講元になり領民から一律某かの金を集めるというものだった。何のことはない、減免する年貢のかわりに金を出せというものので、百姓の窮状を知っている父は反対だった。対策がただの金集めで根本的な農政改革ではなかったこともあるが、百姓のために虫除けもしてやれない藩が年貢とは別にさらに金をとるのはおかしいと考え、まずは藩の歳出を切り詰めるだけ切り詰め、窮民を救うのが先決だと主張したのである。父は家族にだけでなく自身にも厳しい清廉な人だった。

だが現実に金のない藩では、重職をはじめ大方の家中が、その無尽講とでもいうべき安直な対策案に同調していた。藩内に蔓延していた退廃気分が後押ししたこともあるが、自身の懐が痛むわけではなし、ともかく即効があるとして、皮算用をすればするほど藩の期待は膨らんでいったらしい。けれども事が決まれば、その金を徴収するのは反対している郡奉行の父であり、しかもない袖を振らせなければならない。百姓は年頃の娘がいれば売り、いなければ借金をするしか仕方がないだろう。それも当初のことでいずれは一揆が起こるだろうと予見して、父は頑なに反対の立場を押し通した。そして、そうなる前に誤った藩論を改めるべきだとする意見書を執政に差し出し、受け入れられぬときは退身する覚悟で江戸の主君にも同じものを送っていたのである。

父はそんなことはおくびにも出さず、母もその日がくるまで知らなかったという。それで紅葉狩りを楽しめたのだろう。結局、父の嘆願は認められず、一家は早々に国を出ることになった。江戸へ向かう途中、下諏訪の親類の家に寄寓して、江戸へ出たのは翌年の正月だったが、そのころには江戸にも飢饉の余波が及んでいた。

一家は小石川片町に小さな家を借りたものの、それからの暮らしはひどいもので、はじめの一年余りはどうにか武家らしい暮らしができたが、あとはもう落ちる一方だった。むろん父も母も懸命になって働いたが、飢民が流れ込んだ江戸にまともな仕事はなく、父は僅かな日銭のために堀さらいまでした。しかし米をはじめ物価は高騰するばかりで、国を出たときに持っていた金は三年で使い果たしてしまい、やがて一家は店賃の安い下谷竹町の裏店へ越した。

そこではもう満足に食べることもできず、母が針の内職をし、父は仕事を探すだけで一日が終わるという日々が続いた。父はまったく愚痴を言わない人だったが、さすがに五年もすると人相が変わり、暮らしに疲れ果てた人間の諦めのようなものが表情に浮かぶようになった。もっともそれは逞しい父を知っている双枝の印象で、中身は寸分も変わっていなかったのかも知れない。表情はそんなふうだが、父は愚痴も泣き言も言わず、姿は常に凜としていたし、たとえば双枝が外で食べ物をもらってくると、乞食の真似はするなと言って、それがどんなに些細なものでもわざわざ返しにゆかせるというふうだった。

しかし江戸へ出て八年後に母が肝の臓を患って病臥すると、一家の暮らしはどん底に落ち、清さと虚勢では生きてゆけなくなったのである。食べるだけでもむつかしいうえに母の薬礼を工面しなければならず、父は金になることなら何でもやったらしい。家では写本をし、外へ出かけると必ず某かの金を持ち帰ったが、何をしているかはひとことも言わなかった。双枝はようやく覚えた針仕事と母の看病に追われて、父が帰ってくる夕刻にはくたくたになっていた。父は貧乏は我慢できたが母の病が悪くなることは我慢ができず、日に日に必死になっていった。それでも薬礼は滞りがちで、二年後にとうとう工面がつかなくなると、ある日突然、父は娘を呼んでこう言った。

「こういうことになったが何も悪いことはしていない、おまえも、これからどんなことがあろうとも人間の誇りだけは失うな」

「………」

「そう父は女衒の前で言いました、身売りする娘にですよ」

「まさか、幸せになれとは言えんだろう」

「それはそうですけど……」

「………」

「いまでもときどき、あの河原を夢に見るんですよ、あんなに幸せな日はありませんでしたからねえ」

「………」

「帰りに村を通ると、それはきれいに串柿が並んでいたんです」

「ひょっとして、国は信濃の飯田あたりかい」

双枝はそれには答えずに、微笑みながら窓の外を眺めた。格子窓の向こうには深川きっての夜の賑わいが見えたが、薄暗い部屋には簞笥と鏡台、それに客の男がひとりいるだけだった。

二

「おたえは変わりありません、少し痩せましたが夏痩せのようです」

伊沢織之助が酌をすると、素平はうなずいてから、どうもありがとう、と言った。それから舐めるように酒をすすった。いつものことで、こちらから言わなければ娘のようすはどうだとか、体に変わりはないかとか、詳しいことは何ひとつ訊かない。ただ、それでも少しはほっとするのか、盃を干しては長い吐息をつくだけである。

今年の春先から数えて、織之助が羽生素平と会うのはそれが四度目で、会うときは夜の五ツ（八時頃）、場所は竹町の場末の一膳飯屋と決まっている。たいていはその二日前に素平が織之助の家へ金を届けにきて、織之助はその夜か翌日に、深川の永代寺門前山本町の裾継にある「津ノ国」という女郎屋へ揚がる。そこで一晩、双枝と過ごすのが織之助の務めで、揚代のほかに報酬があるわけではないが、まだ二十五歳と若く遊ぶ金がない男にとっては、ある意味で願ってもない仕事だった。もっとも、その話を持ちかけられたときに女郎が素平の娘だと分かっていたら断わっていただろう。素平は事情のある女だとしか言わなかった。

やはり浪人である織之助が素平を知ったのは、口入れ屋を通して幾度か同じ仕事をしたのがきっかけだった。といっても親子ほど歳の違う素平ととくに親しくなったわけではなく、しばらく会うこともなかったのだが、不意に素平のほうから訪ねてきたのが春のことで、以来、月に一度は訪ねてくるようになった。織之助は素平に頼まれた通りに津ノ国へゆき、必ず双枝に会ってくるが、素平の娘だと気付いてからは同衾はせずに話し相手になっている。おそらくは素平も娘の体を休ませるためにしているのだろうと思うからで、そう思い当たると不思議とその気にはならなくなった。

津ノ国では双枝はたえといって、かなりの売れ筋である。素平には話していないが、体はかなりきついだろうし、少なくとも六年の年季が明ける二十三歳までは売れ続けるだろう。といっても年季明けと同時に足を洗えるわけではなく、女郎は女郎屋に借金ができる仕組みになっているので、体が続く限りは客をとらされることになる。言い換えれば素平に頼まれてしていることは気休めに過ぎなかったが、織之助は素平がどんな思いで金を工面してくるかを考えると、無駄なことはやめろとは言えなかった。自分で自分の娘を売っておきながら、することが矛盾しているとも思うが、矛盾といえば織之助の生きてきた世間も矛盾だらけで、素平がしていることはまだましなほうだった。

(それにしても……)

人間はどこでどうなるか分からない。双枝はもちろん、ひとむかし前まではどこぞの藩の歴と した郡奉行が惨めなものだと思いながら、織之助は素平の暗い顔を眺めた。

「その後、ご新造の病はいかがですか」

素平は頬のこけた顔を上げて、ええ、と微笑した。唇が引きつるような笑い方で、双枝が言っていた厳格で逞しい父親の面影は見当たらなかった。

「相変わらずです、医者はよくなっているはずだと言っていますが、どうもそうは見えません」

「いっそのこと医者をかえてみてはいかがですか、あるいは見立てが違えば治療も違うかも知れません」

「……」

「もっとも、薬礼まで違っては困るでしょうが……」

「いいえ、金なら何とかなります、医者も幾度かかえてみましたし、いまの医者がこのあたりでは一番いいようです、問題はつまり、家内が病になったのも病が治らないのもわたくしのせいなのです」

素平は飲みさしの酒を呷ると、もう少しやりましょうかと言って、女中に酒と漬物を注文した。飯屋は時分どきを過ぎて、たいがいの客は酒を飲んでいるが、店の中は意外なほど静かだった。じきに酒と瓜の糠漬けが運ばれてくると、素平は織之助へ酌をしてから続けた。

「今夜は酔ってもかまわないんです、家内ももう寝ていますし……」

「そうですか」

「伊沢さんは、とことん酔ったことがありますか」

「ええ、何度もありますよ、飲まなければいられないことが、この江戸にはたくさんありますからね」

織之助は江戸に生まれて育った二十余年の感想を言った。素平のように顧みる国はなく江戸しか知らないが、その分だけ汚れたものを多く見てきたような気がする。

「わたくしはありません、今年で四十二になりますが、ただの一度もありません」

「でしたら、飲んでみたらどうですか、ここなら家までは這ってでも帰れますよ」

「そうですね……」

「何か話したいことがあるようですが、酔わないと話せないようなことなら思い切り飲んだらいい、あなたが期待するほど、わたくしは親身になったりしませんが、それでよければ聞きますよ」

織之助の冷めた言葉に素平はうなずいたものの、しばらくは盃を重ねるだけで黙っていた。遠い日の感傷に浸っているのか、やりきれない現実に消沈しているのか、いい加減ときが過ぎても言おうか言うまいかと考えているようすだった。それでも織之助は平然と酒を飲んでいたが、やがて素平の口から言葉のかわりに溜息が洩れたのを見て、同じような吐息をついた。

「何も無理に話すことはありませんよ、さっきも言いましたが、聞いたところで親身になれるわけじゃない」

言いながら手酌で酒を注ぐと、銚子がすっかり空いたので、織之助は今夜はこれで失礼すると言った。湿った気分で別れるのはいつものことだし、息苦しさはただ酒の代償のようなものである。すすんで素平の心の中へ深入りする気もなかった。

ところが、いざ別れようとすると、

「お待ちください」

と素平が言うので、織之助は飯台に立てかけていた刀を摑んだ手を膝に戻した。

「ご迷惑でなかったら、もう少し飲んでいてください、そうだ、酒を、酒をもらいましょう」

素平はぎこちなく微笑したが、おそろしく思いつめた眼をしていた。織之助は素平の顔から眼を逸らして、酒をくれ、と怒鳴った。

「わたくしは信州の生まれで、江戸へ来るまではある藩の郡奉行を務めておりました、禄高は八十石ほどですが小藩の中では恵まれていたほうでしょう」

酒がくるのを待って、素平は小声だがまだしっかりとした口調で話しはじめた。

「享保十七年の秋に、わけあって退身し、浪々の身となりました、わけというのは執政との意見の食い違いと言いますか、郡奉行として我慢のならぬことがあって上書したのですが、認められなかったということです、そのときの意見はいまでも間違っていたとは思いませんが、そのために家族を苦しめることになり、こんな暮らしをしているわけです」

「………」

「武士として筋は通したつもりですが、さきのことを何ひとつ考えぬ浅はかな行動だったと、いまでは思っています」

「………」

「後悔してもはじまりませんが、平穏な別の道があったことはたしかですし、筋を通したために一生が狂ってしまうというのはつらいものです」

「それは羽生さんおひとりのことではないでしょう、この江戸には、いくらでも転がっている話です」

「そうかも知れません、いえ、きっとそうでしょう、しかし自ら禄を捨てた人は少ないのではないでしょうか、何らかの事情があって仕方なく浪人になった人がほとんどです」

「わたくしの父がそうでしたが、浪人になってしまえば、それまでの事情などというものは何の支えにもなりません」

織之助は、いちいち人の話に親身になってはいられないわけを言ったつもりだったが、

「その通りです」

と素平は真顔で応えた。それから酒をなみなみと注いで一息に呷った。

「心の支えなどというものは何の役にも立ちません、誇りも自尊心も暮らしが立たなければ砂の山のように呆気(あっけ)なく崩れてゆきます、それでもおのれひとりのことなら我慢のしようもありますが、家族が満足に飯も食えないというのはたまりません」

「………」

「むかしは誰よりも百姓の気持ちを分かっているつもりでしたが、とんでもない、分かっていたのは食えないという事実で、胃の腑がよじれるような空腹もやるせなさも分かってはいなかったのです」

「………」

「妻が病になったのはわたくしのせいです、食べるものも食べずに働き続けたせいで体を壊し、まともに起き上がることさえできなくなりました」

「しかし、できるだけのことはしているじゃありませんか、病が治らないのは医者のせいかも知れない」

「いいえ、わたくしのせいです」

素平は立て続けに盃を干すと、急に青白い顔になって織之助を見た。

「実質八十俵の米を捨てて一升の米に困っているのですから、愚かとしか言いようがありません、それだけじゃない、もっと間抜けなことを言いましょうか……」

暗い卑屈な眼を盃へ移して、素平はまた酒を呷った。眼には内へ向けた棘のようなものを宿している。その眼が双枝のそれよりも淀んでいるように思いながら、織之助が見ていると、彼はぶるぶると唇を震わせた。

「津ノ国のおたえは……」

と素平は震える口で言った。

「おたえは、本当の名を双枝といってわたくしの娘です、その娘を売った金で薬礼を払いながら、小金を貯めては娘にまともな客を世話しているんです、どうです、これほど間抜けな話を聞いたことがありますか」

「………」

「少なくとも人の親がすることじゃない、そうでしょう」

「知ってましたよ」

織之助はあっさりと言った。

「娘さんのほうは、わたくしが何者かは知りませんがね、しかし、それがどうしたと言うんです」

「………」

「厭ならやめればいい、わたくしはかまいませんよ」

三

湿気(しけ)て暑い夜で、下谷同朋町(どうぼうちょう)にある正行寺店(しょうぎょうじだな)のねぐらへ帰ると、織之助は着物を脱ぎ捨てて万年床に横になった。閉め切っていた家の中は蒸していたが、裏手の雨戸を開けるのも面倒だった。雨戸は傷みがひどく、風があれば少しは吹き込んでくるし、いまは風もないので開けたところで寝苦しいことに変わりはないだろう。

(だから何だというんだ、娘を売ったのはてめえじゃねえか……)

織之助は酒臭い吐息をついた。いまになり酔いの回ってきた頭で素平の言ったことを考えていたが、胸を埋めているのは男の武士らしくもない愚痴と徒労に対する苛立ちで、やはり親身になっているわけではなかった。

あれから素平はほとんど口を利かず、さらに銚子を二本空けると、魂が蛻(もぬけ)たような足取りで帰っていった。別れしなに、付き合ってくれてありがとうと言ったが、顔色は会ったときよりも沈んでいた。当然のことだが、素平の苦しみは少しも変わらず、織之助の胸に残ったのは、これで岡場所通いも終わりかという僅かな未練だった。それでも気が重くなったように感じるのは、食うこと以外は気ままに生きていながら、ろくなことに出会わないせいだろう。

（くそおもしろくもねえ……）

織之助は夜具を蹴飛ばすと、手探りで枕元の団扇を摑んで裸の胸を扇いだ。酔いが回ったわりには眼が冴えて、すぐには眠れそうになかったが、不眠はよくあることで、だらしなく生きている報いのように思われることがある。素平の前では武士らしく振舞っているが、きのう双枝が言っていた、人間としての誇りは織之助の暮らしにこそ欠けているものだった。

織之助の父親は羽州山形の浪人で、織之助が生まれたときにはすでに江戸で暮らしていた。元は徒目付だったと聞いているが、本当のところは町木戸の門番などをやっていたらしい。素平ほど学問もなければ武家の匂いもしない男で、まともに教えてくれたのは草鞋作りと賽転ばしだけである。お蔭で織之助は武士として身に付けておくべき礼儀作法や武芸の素養はないに等しかった。

母親もたぶん似たような生まれだろう。いつまでも国訛りが抜けず、常に人目を気にしてこそこそとしている女だった。

その二人が九年前に疱瘡にかかって揃って死んでしまい、織之助は十六歳のときからひとりで生きてきた。親類がどこに何人いるのか、山形がどういう国なのかも知らない。侍といっても出自(しゅつじ)も家系もいい加減な育ちだから、中身は町人とさして変わらぬだろう。それでも刀を差すのは、手に職もなく生きてゆくには何かと便利なことがあるからに過ぎない。

　仕方なく刀を差している自分に比べて、素平は立派な武士であるのに、することも言うことも情けないように思われ、それが織之助の苛立ちの原因でもあった。むしろ女郎に堕(お)ちた娘のほうが、どこか凜としていて、武家らしさを残している。その娘が父親を厳格だと言い、いまでも毅然としていると思っているのが哀れなくらいに、織之助の眼には素平が惰弱(だじゃく)で頼りなく見えてならない。けれども自分に素平を非難する資格がないことも自明で、素平に限らず世の中に当てになるものなどないことも明らかだった。

　織之助は父母に死なれたときに、一度は御店奉公に出ようと考えたことがある。武士といっても仕官したこともない十六の浪人が暮らしを立てる道は限られていたし、寄る辺もなく生きてゆくのは不安だった。しかし内職しか知らない、子供とも大人ともつかぬ中途半端な人間を雇う店はなく、どうにかありついた職は瓦焼きの下働きだった。それも一年目は顎(あご)付きの無給で、給金は見習い職になったらという約束ではじめた。ところが一年経っても二年経っても雑用と土を捏(こ)ねるだけの下働きは変わらず、それでも我慢して三年目に親方に約束が違うと言うと、逆に人手は余っているから、厭ならいますぐ辞めてもかまわないと言われた。こちらから言い出さなければ、いいようにただ働きを続けさせるつもりだったのである。織之助はせめて一年分の手当をくれるように要求したが、けんもほろろに断わられて窯場から追い出された。

（ちくしょうめ、馬鹿にしやがって……）

行く当てもないまま元の住まいの長屋へ行ってみると、差配の茂蔵という男が親身になってくれた。茂蔵は長屋に空きがないので家は世話できないが、当座の金になるいい働き口があると言って、その仕事を紹介してくれたのである。それは長屋の家主が深川の築出新地に家作をしているので、大工や人足が手抜きをしないように見張ってくれというものだった。そのとき織之助が刀を差していなければ、茂蔵は人足のほうを世話しただろう。

だが、中島町のさきにあるという新地へ行ってみると、家作というのは一年前の津波で壊れた女郎屋の再建で、仕事は地所の近辺に住み着いている浮浪者の追い立てだった。ひとつ間違えば自分が浮浪者になっていたであろうに、織之助は子供を含めた浮浪者を脅して回ったのである。彼らはいったんは逃げるが、気を許すとじきにまたどこからか現われて小屋を作る。その繰り返しで終わりのない鼬ごっこだったが、織之助は金のために割り切って懸命に彼らを追い立てた。

ところが、それも二月と続かなかった。同じようにして雇われた浪人たちは昼間から酒を飲み、小便に立つついでに脅してくるというふうだったが、彼らは織之助よりも年嵩というだけで高い金をとり優遇されていたのである。にもかかわらずくだくだと不平不満を言うので、怒った家主がそれなら解雇すると言い出し、織之助も彼らと一絡げにされてしまった。言いわけは通らず、それまでまじめに働いた分だけ損をしたようなものだった。

腰に刀を差してぶらぶらしていただけで稼いだ連中と一緒くたにされて、織之助はまた腹が立った。けれども、考えてみれば働いたといっても行き場のないものを追いやっただけで、結果として浮浪者を困らせずに金を得た彼らのほうが人間としてはましかも知れなかった。刀と知恵があればそういう食い方もできる、何でも律儀に考えて、人のためにならぬことにまで汗を流す必要はないのだと思った。

それからは割のいい仕事を嗅ぎつけることに夢中になって、仕事を得るとそこそこに働き、金がなくなると、また次の仕事を探すということを繰り返してきた。賭場の見張りから座頭の用心棒までしたが、どれも長続きせず、身に付いたのは酒と女と世渡りの知恵くらいのものだろう。

だが手に職もなく信念もない人間が生きてゆくには、自分にとって都合のいいことのみを拾い、不都合は切り捨ててゆくしかなかったのである。世の中に信頼できるものなどないし、迂闊に信じれば馬鹿を見るのは自分である。親を信じている娘が親に売られ、売った親がくだくだと泣き言を言う。潔く筋を通して退身しながら、せちがらい現実に振り回されている素平父娘がいい例ではないか。

寝苦しい闇の中で、織之助は延々と思っていたが、気ままに生きていながら胸の中は索漠として、ささやかな喜びも感じられないことも事実だった。

（おもしろくもねえ……）

織之助はしょうことなく繰り返した。眼が冴えてしまい、ようやく浅い眠りに落ちたのは雨戸から暁闇の光が差し込むころではなかったろうか。

翌朝、日が昇り切ったころになって、彼はすっきりとしない気分を引きずりながら、当座の仕事である借金の取り立てに出かけた。雇い主は前に用心棒をしたことのある座頭で、質(たち)の悪い風邪で寝込んでいる間の手間仕事だが、元々が高利の座頭金(ざとうがね)だけにいい金になる。町中では哀れを集める座頭が裏では殴る蹴るの取り立てをするのだから、やはり世の中は信用がならない。だが、その信用がならない連中が最も金を握っていることも織之助は知っていた。

座頭の客は武家が多く、織之助は昼前に御徒町(おかちまち)で二件の取り立てを済ますと、その足で番町(ばんちょう)へ回った。利息の取り立ては、座頭の使いを名乗ると呆気ないほど簡単だった。座頭金は返済期限が三月と短いので皆済(かいさい)できないのが普通で、そうなると利息を取りまくり、暴利が暴利を生むことになる。一角(ひとかど)の武士が目の見えない座頭の前で青くなるのは、未済を金公事(かねくじ)(訴訟)に持ち込まれると上役が弁済するのが通例で、面目はおろか役目も失いかねないからである。

(世の中は身分じゃねえ、意地汚く儲ける奴が生き残るんだ……)

日盛りの道を歩きながら、織之助はふと同じ日の下で堀さらいでもしている素平の姿を思い浮かべたが、思うだけで暑くなり、いい歳をして生き方を知らない男の頼りなさに腹が立つばかりだった。

四

　夏も暮れかけたある夜、家でひとりの夕餉(ゆうげ)をとって横になっていると、もう会うこともないだろうと思っていた素平がまた金を届けにきた。金はいつもより多く、ざっと銭で一分余りあり、うち二朱が揚代なので、残りは女郎屋での酒代のつもりだろう。津ノ国では客に酒を出さない決まりだが、こちらが出すものさえ出せばすんなりと出てくるのは世の中の仕組みと変わらなかった。

「またお願いいたします、できれば何か精のつくものを食べさせてやってください」

　素平は深々と頭を下げると、女郎屋では飯は日に二度と聞きましたので、と言った。

「金は三食分とりますがね」

「金？　女子から飯代をとるのですか」

　真顔で驚いた素平へ、織之助は呆れながら言った。

「それだけじゃありませんよ、まずは蒲団に燈料、座敷着やら長襦袢(ながじゅばん)、鏡台、煙草盆、乱れ箱……とにかく部屋にあるものは何でも金をとるし、損料だってとる、それがみんな借金になってゆくわけです」

「すると年季が明けても……」

「むろん借金が残りますから、それで終わりというわけにはいきません」

「………」

「ま、何か買って持っていきましょう、店のものは馬鹿高いですからね」

「………」

素平の青ざめた顔を見ながら、織之助はその辺で一杯やりましょうかと誘ったが、素平は茫然として首を振るのがやっとだった。

「今日は家内が待っていますので……」

ようやくそう言った素平へ、

「では、仕方がない」

織之助は水を一杯すすめた。

「どうも、すみません」

「何も謝ることはない、いつも馳走になっているので、たまにはわたくしが酒代を持とうかと思ったまでです」

織之助は正直に言って溜息をついた。薄明かりの中で、素平はうなだれて拳を握りしめている。妻女が待っていると言うわりには動きそうになく、織之助が仕方なく待っていると、素平は不意に顔を上げて思いつめた眼を向けてきた。

「その、借金がいかほどになるか、それとなく聞き出していただけないでしょうか」

「それはかまいませんが、がっかりするだけですよ」

「六年も働いて、文字通り身を粉にして働いてなお借金が残るというのは我慢がなりませんが、その金は年季が明けるまでに何としてもわたくしが作ります」

「あと四年で作れますか」

「ええ、必ず、石に齧りついてもそれだけはしなければなりません」

素平は自分に言い聞かせて歯嚙みしたようだった。

「仮に作れたとして、また娘さんと暮らせるでしょうか、お互いに女郎でいたことを忘れるのはむつかしいと思いますがね」

織之助はまたはじまった素平の撞着に興ざめして、賢しらを言った。

「世間も忘れてはくれませんよ、江戸を出るというのなら別ですが……」

「娘には六年の約束で言い聞かせました、六年だけ辛抱してくれ、そう言って送り出したのです、裏切ることはできません」

「娘さんはもう諦めているでしょう、はじめはともかく二年も経てばみなそうなります」

「双枝は違います」

素平は眼を怒らせて向きになった。

「あれは厳しく躾けましたから、少々のことでは挫けません」

「女子にとって女郎になるのは少々のことではないでしょう、ましてや武家の生まれとなれば痛手も人一倍大きいはずです、もう以前の娘さんとは違うと考えたほうがいい」

「いや、双枝は双枝です、何があろうとも手前の娘であることに変わりはありません」

素平は言い張り、頑なに娘の不屈を信じているようすだった。彼はひとつ太息をついてから、では、よろしく、と言ってようやく重い腰を浮かせた。そして立ち上がろうとしたが、目眩がしたのか、上体がぐらりと揺れて片手をついた。

「大丈夫ですか」

身を乗り出した織之助に、素平はたいしたことはないと言ったが、その顔からは血の気が失せていた。日中の重労働やら妻女の看病やらで疲れ切っているところへ心労が重なったのだろう。ふらふらと帰ってゆく素平を見送り、織之助は銭の束を摑んで簞笥の引き出しに仕舞った。そのまま女郎屋へ持ってゆくわけにもいかず、あとで両替するつもりでそうしているが、それも面倒で入れたままになっている。貯まれば貯まるほど気が重くなる銭で、織之助は乱暴に引き出しを閉めると腹の底から長い吐息をついた。

双枝がその金のことを知ったら、どんな思いをするだろうか。素平は無駄なことをしていると思う一方で、実利もなく付き合っている自分もどうかしていると思う。他人の苦痛に染まるほど馬鹿馬鹿しいことはない。そう思うくせに娘のことが気掛かりになるのだから、やはりどうかしているとしか思えなかった。

明くる日は午後から急に雲が湧き、夕刻にはいきなり雷鳴がして激しい雨になった。夏の終わりを告げるような涼しい夕立だが、激しい降りのせいか、深川の裾継は火点し頃になっても人出が遅れていつもよりひっそりとしていた。織之助が津ノ国へ揚がると、まだ客のつかない女たちの話し声がどこからともなく聞こえてきて、外よりも店の中のほうが長閑に感じられるのが不思議だった。

　待たされることもなく双枝の部屋へ揚がると、織之助は濡れた着物を浴衣に着替えながら、酒と何か台の物をくれと言った。

「食べたいものがあればそれにしてくれ、遠慮はいらん、今日は少し持っているんだ」

　素平には何か買ってゆくと言ったが、織之助はいくらか金に余裕ができたのではじめから店で散財するつもりだった。女郎にくれる金品以外の持ち込みは店に嫌われることもあるが、台の物は店が上前を撥ねるので女郎の評価にもつながる。だが双枝は客に何かをねだるということをしない女だった。それどころか客の懐を案じて酒も飲まなかった。

　双枝は大切なものでも扱うように、織之助のよれよれの袴を折目正しく畳んで衣桁に掛けると、何がよろしゅうございますか、と聞き返した。

「鰻は好きか、それとも厚い卵焼きか、魚はどうだ」

「伊沢さまがお決めくださいまし」

「では鰻にしよう」

　織之助は言ってから、もうひとつ双枝に注文した。

「もう伊沢さまはよしてくれ、織之助でいい」

「はい、そういたします」

双枝の声はときどき雷に掻き消されてしまうほど小さく、控え目だったが、それでいて言葉には芯が感じられた。一言ひとことに意志を含んでいるとでもいうのだろうか。

双枝が注文を伝えに立ってゆくと、織之助は雷と雨音に気をとられて、しばらく窓を眺めていた。稲光に眩惑されて、遠い眼にはいつしか死んだ父母の姿と貧しい暮らしが浮かんでいる。一家の暮らしに潤いといえるものはなかったが、まれにどん底を嘲り、絶望をまぎらす笑い声はあって、それが幸福といえば幸福だった。そんなものがどうにか一家を支えていたのだろう、北向きの土間のように父母の一生は光に恵まれなかった。そしてそのために、織之助は双枝のように過去の情景に感懐を抱くことはできないが、いつかしらあとになって、双枝と過ごしたときは思い出すのではないかという気がしている。

やがて双枝が酒を運んできたので、織之助は物思いから離れて盃を取った。雨は裾継の北側を流れる十五間川と、そこから直角に引いた堀の水面を叩いて、ときおり潮騒のように聞こえている。ちょうど裾継のあたりで風が荒れているらしかった。

「鰻は少し手間がかかるそうでございます」

「かまわん、ゆっくりやるさ」

織之助は酒をすすると、うつむいている双枝へ、今日は泊まるつもりだと言った。双枝は驚いたが、すぐにほっとしたようでもあった。眼と眉がくっきりとして涼しげな顔に微かな笑みを浮かべてい、見れば見るほど女郎には見えなかった。

「この間の続きを聞かせてくれんか、紅葉狩りの話をしただろう」

織之助の頼みにはにかみながら、双枝はまた銚子を取って酌をした。それから、いつ見てもきちんとしている部屋着の胸元を指先で直した。

「あの話はあれだけのことでございます、続きといっても、江戸に来てからはこれといって楽しいことはありませんでしたから……」

「おれは江戸しか知らない、だから他国の人間の眼にどう映るのか知りたい、少しはまともなところに見えるのか、それともやはり汚れて見えるのか、どっちだろうな」

「そうですね……」

双枝は両手を膝の上に置き、眼は遠くへ帰るように一点を見つめながら、少し考え過ぎかと思われるころになって続けた。

「少しも汚れているようには見えませんでした、町はとにかく賑やかで、当初は驚くことが多く、それが楽しいことだったかも知れません、もっともまだ七つでしたから、世間のことも暮らし向きのこともよく分かりませんでしたけど……」

江戸へ出て小石川片町の借家に落ち着いたとき、一家はまだ金にゆとりがあって、遠からずどうにかなるだろうと、ある部分では楽観していた。素平は再び仕官する望みを持っていたし、母もそれまでの苦労だと考えていたようである。小石川の家に家財らしいものはなかったが、それも仮の住まいと考えていたからであった。

ところが一年はあっという間に過ぎて、江戸の厳しい現実が見えてくると、その一年が浪人には分に過ぎた贅沢であったことが一家にも分かるようになった。食禄という確かなものが入ってこない暮らしははじめてのことで、その手で金を作らなければ減る一方だという当然のことすら、実感として分かるには時がいったのである。たいした収入もないまま二年、三年と過ぎてゆくと、家財を揃えるどころか、仕官の支度金にまで手をつけるようになり、金はみるみる消えていった。

それで父は心を決めたようです、と双枝は言った。

「そのころ、父は以前から農政について考えていたことをまとめたものを諸家の上屋敷を回って見てもらっていました、しかし見てくれればいいほうで、たいていは野良犬のように追い払われて仕官の話を持ち出すどころではなかったそうです、そこでいったん仕官することは諦め、暮らしを立て直すことを考えたのです、これだけ繁華な町に男の働き口がないはずがない、そう父はよく言っていました」

だが、その働き口も期待したほどのものはなく、素平も一家も日々の暮らしに追われ続けたのである。よくよく暮らしに追われるようになると月日の経つのが早く、やがて母が病に倒れると、暮らしは落ちるところへ落ちて、にっちもさっちもいかなくなった。それでも素平は毅然としていたが、さすがに顔には一家を貧苦へ導いた自責の念が見え隠れしていた。けれどもそれは当主としての苦悩であって、武士としての素平は依然として誇り高い男だった。

「あるとき、父がこう申しますの」

ちらりと眼を上げた双枝は、楽しいことでも思い出したように微笑んでいた。

「どんなに落ちぶれようとも、卑しい真似をしない限り、その人間の中身まで笑えるものではない、だから決して卑しい真似をしてはならない」

「なるほど……」

織之助は酒を舐めながら、前夜の素平を思い浮かべたが、そういう気概はもうないだろうというのが実感だった。意地汚い真似をしないためにもまず金がいるし、気概だけで人間は生きてゆけない。その証(あかし)に、そう言った本人が娘を売っている。表面を繕(つくろ)う人間が挫折してなお繕い続けるのも当然だろう。

「しかし、卑しくとも食うものさえ食えば治る病もあるがな」

と織之助は言った。いつの間にか雷は止んで、激しい雨音だけが聞こえている。小さな声にもかかわらず、双枝が黙ると雨音がうるさく聞こえて煩(わずら)わしかった。

「それで、おまえはいまでも父親の言うことを信じているのか」

「はい」

「ほかに信じるものはないのか」

そう訊いたとき、廊下に女中の声がして台の物を運んできたようだった。女中は部屋には入らず、大仰な笹の飾りのついた台を入口に置き、おたえさん、あとは頼むわね、と言って去っていった。双枝が立ってそれを運んでくると、台の上には鰻の蒲焼きが一人前と吸い物の椀がひとつあるだけだった。

織之助は驕奢な台のわりに小さな鰻を眺めた。それは二人で分けるにはあまりに粗末な鰻で、涎のかわりに溜息がでるほどだった。

「これしか頼まなかったのか」

「いけませんでしたでしょうか」

「おまえの分がない」

すると双枝は首を振り、自分は腹が空いていないのでいらないと言った。今度は織之助が首を振った。

「おれはここへ鰻を食いに来たわけじゃない、おまえに食べてもらいたくて頼んだんだ」

「ありがとうございます、でも……」

「人にすすめられたものを食べるのは卑しいことではあるまい」

「はい」

と双枝はいたずらに笑った。

「でも、おなか、いっぱい」

あまりに堂々として見え透いた嘘に、織之助は自分の歪んだ根性をつねられたような気がした。

双枝のひとことは、ついさっき織之助が訊ねたことに対する答えでもある。厳格だが安穏な世界に生まれた女が苦界へ身を落としながら少しも狂わないのは、心の中に元の世界を持ち続けているからだろう。素平の世界は外から崩れてしまったが、双枝のそれは心の中にあるだけに哀しいほど揺るぎないものに思われた。

それにしても、たったひとつの思い出を支えに人間は生きてゆけるものだろうかと思っていると、

「どうぞ、温かいうちに召し上がれ」

と双枝が言った。いつの間にか雨はやんだらしく、明るい声がはっきりと聞こえた。その声はしかし、明るいだけでなく、きっぱりと施しを拒むものでもあった。

織之助は密かに溜息をついた。ひとりで鰻をつつく気にもなれずに盃を取ると、双枝はゆったりと微笑みながら酌をした。思い上がった心に清水を注がれたような気分で酒を飲むうち、窓から湿った夜気が吹き込んできて、双枝の後れ毛を揺らすのが妙に美しかった。

紅灯に染まらない女の美しさをどこかで疑いながらも、織之助は気勢をそがれて鼻白み、照れ隠しに微笑みかけたが、双枝に微笑み返されると打ちのめされた気分になって深い吐息をついた。いったい、おれは何をしているのだろうかと思った。二十歳にもならない女の堅い志操に比べ、ふわふわとして心の拠り所すらない自分をだらしなく思いながら、彼はしょうことなしに水嵩の増したらしい堀の流れの音に耳を傾けていた。

五

その夜のそのときの話は、しかし思いのほか素平をうろたえさせた。織之助は双枝の気高さを称えるつもりで話したが、素平は喜ぶどころか、厳しく躾けすぎたと言って唇を噛んだ。馳走を拒んだ娘の言動に思い当たることがあるらしく、その態度を高潔と思うよりさき哀れに思ったらしい。無力な父親の口惜しさは織之助の胸にも伝わってきた。

「子供のころからそう言うように躾けたのです、もしも人に食べ物を恵まれたときは、おなか、いっぱい、金品のときには、父にしかられます、そう言うようにです」

素平は、それが武家の娘として当然のことだと思っていたと話した。江戸へ出て貧困を味わい、他人の親切に触れるにつれて、日々の営みにのまれて武家の誇りが崩れてゆくような気がしたという。そして、その不安を娘を厳しく躾けることで拭い去ろうとしたらしかった。

「しかし、芯から堕落するよりは遥かにいいでしょう」

と織之助は溜息混じりに言った。

「だいいち、人間の誇りだけは失うなと教えたのはあなたですよ、それなら喜ぶべきではありませんか」

「そうかも知れません、だがそれは心のことで腹のことを言ったわけじゃない、言葉が足りなかったのです」

娘の清さとひもじさを思い比べて揺れる気持ちは分かるが、素平の言うことはやはり矛盾していた。たとえ子供のころに躾けたことであれ、いまでも正しいと言えるようでなければ躾けられたほうはたまらない。それでなくとも娘の境涯は親のお仕着せなのだし、いまさら心と腹は別だなどと言われて、ああ、そうですかと納得するほど娘は幼くもなければ愚鈍でもない。

「じゃあ、訊きますがね、あなたのいう誇りとはいったい何なんですか」

聞けば聞くほど分からなくなります、と織之助は不機嫌を声にした。

「女郎に身を落とすのはその人間の不運であって罪ではない、だから自棄を起こして人間の誇りまで失うことはない、そういうことじゃないんですか」

「そうです、そういうことです」

「だったら何も嘆くことはないでしょう、娘さんはまったくその通りに生きているじゃないですか、誉めてやってもいいくらいだ」

「しかし、食べなければ体が……」

素平は虚ろな眼を上げると、織之助を見るでもなく、半開きにした口から掠れた吐息を洩らした。

「娘に言ったことは、要するに世間知らずが言ったことなのです、女衒の言葉を信じて女郎屋の内情などまったく知りませんでしたから……」

「それで、いまになり間違っていたと言うんですか」

「少なくとも人の親切を拒むことがまことの誇りとは言えません、わたくし自身、気位と尊厳を混同して誇りと思っていたところがありますし、そのままを娘に伝えてしまったとしたら、やはり間違いです」

「それでも娘さんは立派に見えますがね、少なくともただの女郎ではない、立ち居振舞いが違うし、言うことも身を売る女のものじゃありませんよ」

「それがいまの双枝にとってよいことかどうか、わたくしには分からなくなりました……」

萎(しお)れた草のようにうなだれた素平へ、織之助は銚子をとって酌をした。いつもの店の片隅でひそひそと話す二人を小女が酒樽の陰から手持ち無沙汰に眺めていたが、織之助がちらりと睨むと、女は眼を逸らして店の中をぶらぶらと歩き出した。客は二人のほかに四、五人の町人がぽつぽつと飯台にへばりついているだけだった。

「とにかく体さえ丈夫でいてくれれば、やり直せるときがくるかも知れません」

織之助が注いだ酒には手を出さずに、素平はぶつぶつと口の中で言った。

「それでなくとも、あのようなところで誇り高く生きるというのは、苦痛を増やすだけで傷口に辛子(からし)を塗るようなものです、痛みは男には分からない、そうじゃありませんか」

織之助は応えずに、手酌で自分の盃を満たした。それで急に軽くなった銚子を振っていると、すかさず小女がやってきて、もう一本お持ちしますかと訊いた。

「ああ、燗(かん)をしてくれ、何だか寒くなってきた」

織之助は無愛想に答えた。足下に感じる冷え込みは秋の知らせだろう。じきに運ばれてきた燗徳利が半分も空くころになって、素平は飯台に眼を据えたまま訊ねた。

「ところで、娘の借金がいかほどになっているのか、分かりましたか」

「楼主に確かめたわけではないので、おおまかなところですが、いまのところ八両ほどのようです」

「二年で八両もですか、すると年季が明けるころには……」

「二、三十両にはなっているでしょう、よほど奇特な客でもつかぬ限り、自分で返せる女はまずいませんよ」

予想したことだが、素平は重い溜息をついた。いまの素平にとって三十両は途方もない大金である。暮らしを切り詰めて貯まる金ではないし、そもそものために娘を売ったくらいだから、並大抵のことで作れるものではない。織之助には分かり切っていたことだが、素平の落胆振りは呆れるほど誠実で、そのために却って白々しく見えるほどだった。

「まあ、そういう客が現われないとは言えませんがね」

織之助は言って盃を口へ運んだ。

「明日、何が待っているかは、明日になってみなければ分からない、どうにか無事に暮らしている人間が親に売り飛ばされることもあれば、女郎が富突きに当たることもある、どうせ分からぬことなら、いいほうに考えるほうがいい」

「気休めはよしてください、わたくしは三十が四十でも作るつもりです、いや、必ずこの手で作ってみせます」

素平は不意に織之助の前にあった燗徳利を摑むと、立て続けに盃を干した。それから拳を握りしめたり、放心したように一点を見つめて独り言を言ったりした。

「たかが三十両ではないですか、たかが……」

「そうです、そう思えば何も案ずることはない」

心にもない相槌(あいづち)を打ちながら徳利を奪い返すと、織之助はどこかで見ているはずの小女に向けて振った。

「案外、四年後には何もかもうまくいっているかも知れませんよ」

六

その年の霜月に嵐が江戸を襲い、荒れ狂った風雨が一昼夜、家々の屋根や雨戸を鳴らした。織之助と素平が住んでいる下谷のあたりは戸毎(こごと)に小さな被害があっただけで無事だったが、大川では廻船が激突して永代橋の橋杭(はしぐい)が折れ、川向こうの深川は水浸しになって凍えるような朝を迎えた。

裾継でも女郎屋が風に屋根を持っていかれたり、座敷が水を被ったりで休業するところが出たが、それも三日ばかりのことで、織之助がようすを見に行ったときには、潮臭い匂いが残ってはいるものの津ノ国もほかの店もおよそ元通りになっていた。

（いっそのこと高波にでものまれちまえばよかったんだ……）

そうすれば双枝は逃げられたかも知れないと思った。見るものを見て十五間川を眺めていると、遊んでいきませんか、と妓夫が声をかけてきたので、

「またにするよ」

織之助は袖を丸めてみせた。手持ちが乏しかったこともあるが、女郎屋へ揚がるには気が引ける時刻で、男のほうも片顔を歪めてあっさりと引きあげていった。

ところが、ややあって、織之助さん、と今度は双枝に呼ばれたような気がした。通りにはもちろん店の入口にも姿はないので、空耳かと思いながら二階のほうを見ると、明かり取りの格子窓から白い手が出ていた。廊下の掃除でもしていて織之助を見つけたのだろう、顔は見えなかったが双枝だった。

「通りがかりにようすを見にきたんだ、ひどい嵐だったからな」

そう織之助は白い手に向かって叫んだ。

「そっちは大丈夫だったか」

すると応えるように、双枝は激しく手を振った。

「金ができたら、また来る」

織之助が立ち去るまで、双枝は手を振っていた。気になって振り返ると、まるで見えているか

のように掌はこちらを向いていたが、不意に誰かに襟首を引っ張られたように引っ込むのが見えて、織之助は胸をえぐられた気がした。

昼下がりのまだ明るい町を歩きながら、彼は双枝の手を摑む空想に耽った。格子の隙間から出した手は双枝に与えられた自由そのもので、その手を摑むにもやはり金がいるのだった。

けれども素平は晩夏に会って以来、現われなくなって、織之助にとっては果報な揚代も酒手も手に入らなくなっていた。かといってこちらから素平を訪ねるのも催促するようでためらわれた。織之助の自由になる金は限られてしまい、そうそう自腹で女郎屋へ揚がることもできない。

素平は娘のようすを確かめてもらうかわりに、金を貯めはじめたのかも知れず、そうであればなおさら催促するわけにはいかぬだろう。そもそも双枝のことは面倒な頼まれ事であって、織之助がすすんで関ることではなかった。素平が無駄なあがきに気付いて諦めてしまえば、それきりのことである。

それでも気になって、織之助はときおり津ノ国へ揚がった。外のことは何も知らない双枝に季節のものや町のようすを話して聞かすのは楽しかったし、双枝の昔話を聞くのも楽しみだった。双枝は依然として武家の匂いをまとっていたが、会う度に体は驚くほど艶かしくなって、たまに我を忘れてその肌に触れると、なぜか罪深いことをしたような後悔に苛まれた。女郎屋で女郎を抱いているのだと思っても、充足よりも後悔が大きく、双枝の寝顔を見ているほうが結果としては気が楽だった。冷え切った心で父娘を見ていながら、どこかで素平の気持ちを考えてしまうせいかも知れない。

やがて年が明けて、その年が過ぎても、素平は顔を見せなかった。町は違うといっても同じ下谷に暮らしていながら、不思議と道で出会うこともなかった。織之助が一度だけ竹町の長屋を見にゆくと、木戸口に貼られた住人の名前の中に素平の名があって、どこかへ引っ越したというのでもなかった。

三尺の狭い路地に面した長屋は、織之助の住む正行寺店よりも見窄らしく、どの家も外壁が剝げ落ちて表戸の腰高障子は朽ちかけていた。その気になって探せば、ましな長屋はいくらでもあるが、住人に引っ越すだけのゆとりはないだろう。織之助は高利貸しの座頭に気に入られて借金取りを続けていたが、素平は馬鹿正直に日傭取りでもしているに違いなかった。要領の悪い人間がすることは、うららかな春の日も嵐の日でも変わらない。

素平はしかし、忘れたころになって正行寺店へ訪ねてきた。織之助がどこかへ引っ越してしまうとは考えなかったらしい。まったく音沙汰のないまま三年が過ぎて、浅黒い瘦せぎすな姿を見せたときには寛延元年の晩秋になっていた。

「ご無沙汰しましたが、覚えていらっしゃいますか」

朝方、それも時分どきに訪ねてきた素平は、一尺ほど開いていた戸口の前に立ってそう言った。ちょうど朝餉を終えて煙草を一服していた織之助は、あまりの変わりように声を聞くまで男が素平だとは分からなかった。このところ病がちな座頭の使いか、噂を聞いて金を借りにきた男だろうと思った。織之助は座頭金の取り立てを請け負う一方で、座頭に融資させて自分でも少額に限った町人相手の金貸しをはじめていた。

織之助が眼を凝らして黒い顔を確かめていると、失礼すると言って、素平は土間へ入ってきた。

「以前、深川の裾継にいる娘に……」

「覚えてますよ」

と織之助は無愛想に言った。

「それにしても、随分、久し振りじゃないですか、それにこんな時刻に会うのははじめてだ」

「申しわけございません、これから向島へ回るものですから……」

織之助が上がるようにすすめると、素平は草鞋(わらじば)穿きだからと断わり、土間に立ったまま話した。それによると、いまは向島の柳島村(やなぎしまむら)にある竜眼寺での萩(はぎ)刈りが仕事だそうで、それが済むと、刈った萩で箸や筆軸(ふでじく)を作る内職がもらえるという。千三百坪に余る寺地の庭に萩のないところはなく、翌年の芽立ちをよくするために五尺ほどに伸びたものを根元から刈って土を被せてゆくのは大仕事だが、気楽で性に合っていると素平は言った。

「実は、今日お伺いしたのは……」

素平は織之助の顔色を見ながら、また娘に会ってほしいと切り出した。この三年で僅かだが金が貯まった、妻は相変わらず臥せっているが薬が効いてよくなっている、金を貯めるために我慢してきたが本当に心配なのは娘のことだと言った。親としてひどいことをしながら矛盾しているのは分かっているが、娘のようすを知りたい。たとえどんなに変わっていても事実を知りたい。こんなことをお願いできるのはあなただけだし、是が非でも頼まれてもらいたいと言って、素平は上がり框へ金の入った巾着を置いた。

「いいですよ」

織之助は何の考えもないかのように、あっさりと承諾した。双枝にはつい数日前に会ってきたばかりで、ようすは確かめるまでもなかったが、三年も何も言ってこなかった男にただで話して聞かせるつもりもなかった。

「しかし、いきなり訪ねてきて今夜というわけにはいきません、こちらにも三年分の都合というものがある」

「はい」

「五日後に以前使っていた店で会いましょうか」

「けっこうです、よろしくお願いします」

用事が済むと、素平は急ぐらしくそそくさと出ていった。

(寺の草刈りか……)

織之助は溜息をついた。どうせそんなことだろうと思っていたが、本人の口からそう聞くと我がことのように情けなかった。萩刈りで金が貯まるはずがないし、どこまで不器用なのだろうかと思った。

だが、それから五日後に再会したとき、素平の印象はがらりと変わっていた。織之助はその前に双枝に会って、まったく変わりのないことを話したが、素平は以前のように泣き言は言わず、織之助の一言ひとことに小さくうなずきながら黙って聞いていた。話が終わると酒も適当に飲んで、自分から身の上のことなどを話した。

「前にもお話しした通り、わたくしは俸禄で成り立つ身でありながら自ら野に出て落ちぶれてしまいましたが、娘には露ほどの罪もありません、ですから、これからは娘のためにだけ生きようと思います、それでも償うことはできないでしょうが、ほかに望みもなくなりましたので……」

「しかし、それもまず、ご自分の暮らしを立ててからのことじゃないですか、そのために娘さんも苦労しているわけですから」

「いいえ、わたくしの暮らしはもうどうでもいいんです、自由に寝て食べられるだけでも娘より恵まれていますから」

「ご新造がいるじゃありませんか」

「………」

「せっかくよくなっているのですから、療治につとめて……」

「家内は死にました」

素平はいきなりそう言った。

「二月ほど前のことです、先日お話ししたことは偽りです」

それから妙に落ち着いた仕草で織之助へ酌をした。

「いまは娘に知られたくありません」

「そう言ってくれれば言いませんよ」

織之助が言うと、素平は眼を伏せて、すいませんと言った。妻女の野辺送りを済ませてから四十九日までの間は何も考えられなかったが、いまは娘のことで頭がいっぱいだという。泣き言を言わなくなったかわりに、彼は自分を追い込むような太息をついた。

「ところで、金はできそうですか」

言いながら織之助が銚子をかたむけると、素平は素直に盃を取って応じた。

「ええ、何とか……」

「ほう、それはよかった、正直なところ心配していたんですよ」

半信半疑に言った織之助へ、ともかくあと一年ありますから、と素平は付け加えた。どうかしてもうだいぶ貯め込んだのか、これから一年でどうにかするつもりなのか、漠然とした言い方からは分からなかったが、いずれにしても年季明けと同時に娘を苦界から救い出す覚悟は変わらぬらしかった。深く家族の情や絆について考えることのなかった織之助にも、素平の執着は親として当然のことに思われたが、しかし現実には親がその手で売った娘を取り返した例を見たことも聞いたこともなかった。

「すると来年のいまごろは、父娘で墓参りですな」

と織之助は底意地の悪いことを言いながら、ふとそういう興味が自分を素平父娘とつないでいるのかも知れないと思った。ほかに他人の苦しみに付き合う理由はないし、それ以上深く係うつもりもない。ただ素平と双枝を見ていると、自分に欠けている人との絆が、ときおり味気ない人生や孤独を思い出させることもたしかだった。

「差し支えなければ、そのときはわたくしもご一緒したいものです」

素平は応えずに酒を飲んでいたが、ややあって不意にじろりと織之助を見た。瘦せた顔は笑っているものの、その瞳を見たとき、織之助は刃物に触れたようにひやりとした。三年前の素平と違い、明らかに織之助の意地悪に敵意を見せたのである。

「あなたには心から感謝しています、こちらからお願いしたことですし、愚かな頼み事であることも分かっています、そう承知していただいたうえで、ひとつお伺いしたいのですが……」

と素平は物静かな声で言った。

「こうして親のわたくしと酒を飲み、その一方で娼妓とはいえ娘を抱くというのはどのような気分なのでしょうか」

七

「ずっと不思議に思っていたのです」

と素平は言った。

「こう申しては何ですが、あなたに何か大切なものがあるのだろうかと……それが人間でなければ、たとえば誇りや信念といったものですが……」

織之助は答えられなかったし、答えたくもなかったが、そう問いかけた素平の声はいまも胸の中から聞こえてくる。あれから素平はまた遠い存在になり、何をしているのか、じきに一年が過ぎようとしていた。

その年は夏から雨が多く、例年とようすが違っていたが、からりと晴れることのないまま七月の二十五日には暴風雨に見舞われ、それから降り続いて八月に入るや大風が吹き荒れ、とうとう十三日には朝方から牛込小日向(うしごめこびなた)が出水して、高田、関口あたりの家々を流しはじめた。水はみるみる小石川通りを呑み込み、江戸川や神田川の橋を押し流して、やがて下谷や浅草にまで溢れてきた。

「逃げろ、大川へ流されるぞ」

下谷の人々は口々に叫んで上野や浮島(鳥越八丁)へ向かおうとしたが、一度水が出てしまうと一町と歩けるものではなく、しかも神田川が注ぐ大川も氾濫していたのであたりの水位は高くなる一方だった。人々は近所の二階家に避難したり、家の中にある物を積み上げて乗ったり、それもできないものは柱や屋根にしがみついているしかなかった。

織之助は大刀を背負い、巾着に入るだけの金を持って、壊れた鯱瓦(しやちがわら)のように屋根の棟(むね)にしがみついていた。頭を叩く雨が痛く、眼も開けていられないほどだったが、ときおり同じように屋根に上っている人たちの声は聞こえてきた。

「ちくしょうめ、ちくしょうめ」

となりの絵書きはそう叫び、向かいの女房は子供を抱えて「誰か、助けて」と叫び続けていた。亭主は働きに出たあとで、どこかで同じ目にあっているはずだった。

やがて人声も聞こえなくなって、目の前の景色も見えなくなると、織之助は生まれてはじめて死ぬかも知れないと思った。雨は泥水を叩いて耳を壊しそうな音を立て、家は腹の下で軋んで揺れていた。そこから滑り落ちたら流れに呑まれるだろうし、落ちなくとも家ごと持ってゆかれるかも知れない。しばらく前に軒下の流れに飯櫃や桶が浮かんでいたのを思い出すと、織之助は泳げもしないのに重い刀と金を持ってきた自分の間抜けさに気付いて青くなった。そして、あわてて懐の奥から巾着を取り出して放り投げた。

(ちくしょう、何てことだ……)

それから背中の刀も捨てようとしたが、襷掛けにした下げ緒の結び目が食い込んでいてどうにもならなかった。たかが雨で死ぬとは思ってもみなかったが、見えているのはすでに溺死した人間がいてもおかしくはない光景だった。すると人声が聞こえないのは、みんなもう流されてしまったからではないかと思った。織之助は眼を凝らしてみたが、どこにも人影らしいものは見えず、顔を上げていると嵐の海にでもいるように波しぶきがかかった。水はもう軒のすぐ下にまで来ているらしかった。

　織之助は蛙のように這い上がって棟を跨いだ。そのとき家がぐらりときたが、すぐにまた揺れて元の位置に戻ったようだった。もう一度ぐらりときたら仕舞いだと分かるような揺れ方で、無我夢中で棟にへばりついていると、その背に雨が石のような痛さで落ちてきた。

（ちくしょうめ、おれにだって大切なものはあるんだ……）

　念仏のように繰り返しながら、どれほどそうしていただろうか、急に人声が聞こえてきたので顔を上げると、嵐は収まったらしく薄日が差していた。見るとあちこちの屋根の上に人影が見えて、誰それはいるかなどと互いの名を呼び交わしたり、どんどん引いてゆく水を茫然と眺めたりしていた。

　織之助は棟を跨いだまま起き上がって、あたりを見回した。すると泥流の向こう側の屋根の上に、七、八歳の子供と母親が困憊し切った顔で胡座をかいて座っていた。となりの絵書きは、どうやって渡ったのか、向こう三軒からさきの屋根の上で若い娘の肩を抱いているのがそれらしかった。そして織之助だけがひとりのようだった。

（助かったのか……）

　ようやくほっとしたものの、織之助ははっとして軒下の流れに眼を曝した。どうにか命が助かってみると、急に捨てた金が惜しくなったのである。けれども、流れには釜や行李の蓋や笊や木端が浮いているだけだった。

彼は自分の間抜けさに舌打ちした。命のために捨てた巾着には座頭に融資してもらった元金の一部や、取り立ててきたばかりの利子が入っていた。しかし命が助かり、これから生きてゆく苦労が眼に浮かぶや、命懸けで間抜けなことを二度したような気分にならざるをえなかった。

その日のうちに風と水は去ったが、雨はまた降りはじめてどんよりと曇った小雨の日が九月になるまで続いた。金の重みで沈んでいるに違いないと思った巾着は、結局水が引いても出てこなかった。そのうえ簞笥に仕舞っていた証文も引き出しごと流されてしまい、金目のもので残ったのは素平から受け取ったまま放っておいた銭の束だけだった。それで思い立って竹町へ行ってみると、素平の長屋はとても住める状態ではなく、素平の姿も見えなかった。織之助はその足で深川へ回ってみた。

霧のような小雨に深川の町はしっとりと濡れて、汚濁した町からきた眼には美しいほどだった。大川が荒れたにもかかわらず出水はなかったそうで、裾継もまったく無事だったのである。

(どうせ攫ってゆくなら泡銭にすりゃあいいんだ……)

織之助は津ノ国の前をうろうろ歩きながら、いまは双枝と自分の境遇がさして変わらないことを思った。金がなければ、そうして外を歩いていても何ひとつ自由にはならないのだった。彼は双枝の安否を確かめにきたことも忘れて、しばらくは恨むような気持ちで、堀沿いの道から甍の続く物静かな眺めに見入っていた。

素平から不意の知らせがあったのは秋も暮れかけたころで、彼は竹町の長屋を引き払って向島の竜眼寺に寄寓しているということだった。いつもの飯屋で待ち合わせると、素平もやはり、あの嵐で貯めていた金の大半を失ってしまったと打ち明けた。

「金持ちの家は頑丈にできているし、蔵もある、同じ嵐にあっても損をするのは貧乏人ばかりですよ」

織之助は自分も大損をして一から遣り直しだと話した。座頭とは年内に半金を戻すことで話をつけていたが、証文のない借金の取り立てはむつかしく、貸し倒れは覚悟しなければならない。素平は侍が金貸しをやっているのかと驚いたが、自分も江戸へ出てきたときにそうしていれば娘を売らずに済んだかも知れないと溜息をついた。覚悟して禄を離れたときは、それでも人並みに生きてゆく自信はあったのに、僅かな知恵がなかったために落ちぶれてしまった、しかも学ぶ機会がなかったわけではなかったと言った。

一家は江戸へ出る途中、下諏訪の親類の家に寄り、すすめられるままにしばらく逗留した。そこは親類といっても当主は町人で、小さな旅籠（はたご）と飯屋を営んでいた。家は素平の大叔母にあたる人の嫁ぎ先で、その人はもう亡く、主は孫になるが、いくらか武家の血をもらっているせいか堂々として、不意に訪れた遠い縁の一家を快く迎えてくれたのである。

素平たちは無償で旅籠の一室に住み、国から引きずってきた過去の疲れと先々の不安を癒（いや）した。小さな旅籠の一日は人手が限られて忙（せわ）しなく、主の女房も子供たちも、女中と変わりなく働いていた。朝早くから出立する客を見送り、掃除、洗濯、仕込とするうちには日が傾き、夕には客が入り、食事やら湯の世話をする。その繰り返しで一日が半日のような速さで過ぎてゆくが、そうして彼らは来る日も来る日も客に追われるように働きながら、のんびりとする暇もない自分たちの暮らしを立てているのだった。迷い込んだ浪人の一家を丁重に持て成すゆとりは心の奥にしかなかっただろう。

彼らが眠りに就くのは夜半に近く、ようやく宿が静まり返ると、今度は下働きの女が起きてきて朝餉の支度にとりかかる。空が白むころには支度が終わり、朝の早い素平が井戸を使いに裏庭へゆくと、まだ十四、五にしか見えない娘は薪の束に腰掛けながら、暁の光でいつも同じ本を読んでいた。あるとき、なぜ同じ本なのかと訊ねると、終わりまで間違えずに読めたことがないから、読めたら新しい本を買うのだと娘は答えた。山だしの世間知らずに見えた少女でさえ、ひとりで暮らしを立てる術を知り、しかもすすんで勉学していたのである。

いま思うと、旅籠の忙しい一日も、少女のいる静寂な朝も、人の営みの見本のような光景だったと素平は振り返った。

「すぐそこに人として学ぶべきことがたくさんあったにもかかわらず、わたくしは依然として蒙昧な武士でしかなかったのです」

「………」

「どうしてか、人は生きるために働かねばなりません、武士も例外ではありませんが、町人や百姓と違い、あくまで御家のために働き、自ら糊口の資を作り出すわけではありません、その大きな違いに気付かず、わたくしは高を括っていたのです」

「手に職もなく、金を得るのはむつかしいですからね」

織之助は自分がそうであったことを思い出した。浪人の子として江戸で育った男がそうなのだから、それまで悠々と禄を食んでいた国ものが漠然と江戸へ出て困窮するのは当然だった。大金も使う一方になればすぐになくなる。その意味では素平が言った通り、江戸へ出てすぐに金貸しでもはじめていたら一家の末も違っていただろう。

「食べるための苦労を知らぬ不幸とでも言うのでしょうか、要するに生き方を知らなかったのです」

「ともかく、お互いに一から遣り直すしかないでしょう」

織之助が言ったが、素平は首を振って、自分にはもうそのゆとりはないと言った。双枝の年季明けまであと半月ほどに迫っていたので、そのことを言ったのだろう。

「しかし、金がなくてはどうにもなりませんから……」

「娘には誇りを持って生きるように教えました、そう教えた父親が六年の約束を破っては娘の生きる縁を断つようなものです」

「それはどうでしょうか、あなたが考える以上に娘さんは芯が強い気がします」

織之助は感じたままに、双枝が朱に交わりながら染まらない、珍しい女であることを話した。

素平は黙っていたが、やがて懐から紙包みを取り出すと、何か思いつめたように織之助の前に置いて言った。

「これで、もう一度、津ノ国へゆき、それとなく楼主に借金の額を確かめてもらえないでしょうか」

「……」

「できれば、ついでに櫛でも買ってやってください」

八

それから七日目の朝になって訪ねてきた素平が、ちょっと付き合ってくれませんかと言うので、織之助はすぐに済むのだろうと思ってついていった。素平とはその数日前に会って双枝の借金の額を知らせたばかりだったので、意外な来訪だったが、強いて断わる理由も見つからなかった。素平はどこかさっぱりとしていて、言い方も散歩にでも誘うような気軽さだった。

秋も終わりに近付き、少し肌寒いくらいの道を、素平は下谷から東へ、大川のほうへ向かってどんどん歩いていった。ちょっと、という言葉が疑われてきたのは、御徒町を通り過ぎて三味線(さみせん)堀(ぼり)に出たときである。そこから南の神田川へかけて、あたりは向柳原(むこうやなぎわら)といって大名の上屋敷や大身の武家屋敷が固まっている。素平は三味線堀に架かる転軫橋(てんしんばし)は渡らずに、広い通りを神田川へ向かって歩き出した。

「そろそろ用事を聞かせてもらえませんか」

織之助が訊ねると、素平は、ええと言ったが、もう少しですからと口を濁した。だがその言葉通り、じきに前方に新橋が見えてきたところで不意に立ち止まり、着きましたと言った。そこはあたりの大名屋敷の中でも小さな屋敷で、向かいの屋敷と比べても三分の一もなかった。質素な門構えからして、大名といってもせいぜい数万石の小大名だろう。

「ここは？」

「そのむかし、わたくしが仕えていた御家の上屋敷です」

門から離れて立ちながら、少しの間、素平は遠いむかしを見つめていたようだった。それから呟くように、ようやく用事と思われる言葉を洩らした。

「ほかに無心できる人もおりませんので……」

「ちょっと待ってください」

織之助は驚いて聞き返した。

「まさかあの金を、大名に無心するつもりですか」

「ええ、何とかなると思いますので、伊沢さんは黙って見ていてください」

素平は人が変わったように、少しも臆するところがなく、織之助がうろたえている間にも門番に来意を告げて何か書状のようなものを渡したようだった。じきに門の内側から数人の人声と足音が聞こえてきたが、織之助は大名家というだけで足が竦んでしまい、素平を引きとめることも逃げ出すこともできなかった。

「いいですね、決して口を利いてはなりませんよ」

しばらくして小門が開けられると、素平は振り向いて穏やかに笑った。中には出迎えの若い武士がいて、遠い正面に広い式台が見えたが、武士は玄関への道を作っている生垣の手前を折れて、二人を二階建ての表長屋に囲まれた広場へ通した。

「ここでお待ちください」

そう言って案内の武士が眼で指したのは地面に敷いた筵で、向き合って置かれている床几には誰か係のものが座るらしかった。織之助は素平に囁かれて、彼の背後の地面に控えた。わけもなく地べたに座らされた屈辱を思うよりさきに、はじめて見る大名屋敷の佇まいに驚き、織之助は眼を皿にして四方を眺めた。

二階建ての、一見、蔵のような長屋が塀に沿ってぐるりと続いているのも珍しい光景だったが、壮麗な殿舎や、それをところどころで隠している庭木の紅葉が別世界のもののように美しかった。庭木はどれも選りすぐられて、しかも丹念に育てられたらしい。そう思わせる調和があって、濃い杉の緑があるためか、いっそう目のさめるような楓の紅葉が見事だった。そして、その紅葉の下をくぐり抜けるようにして、ややあって三人の男が歩いてくるのが見えた。

「羽生素平か」

ひとり床几に座り、江戸家老の柳田と名乗った男は、織之助とさして変わらぬ歳に見えたが、力強い眼差しに威厳があって堂々としていた。

柳田は、平伏したまま返事をした素平へ、

「名は聞いておる、よい郡奉行だったそうだな」

と声をかけた。

「しかし、それはそれ、これはこれでな、願いの儀は当方としては承知しかねる、なぜなら、申すまでもなく当家とそこもとの縁はとうに切れておる、しかも退身は自ら望んだことで当家に非があるというのでもない、わけはそれで十分だろう」

そう言って、柳田は三方を持って立っていた配下のものに目配せをした。辞儀をして歩み出た男は素平の前に三方を置き、御上のご厚情である、ありがたく頂戴するがよい、と言った。言いながら素平を見た男の視線には侮蔑が込められていて、低い怒り声は織之助にも聞こえた。

もっとも頭を下げただけで一両は上出来だと織之助は思ったが、素平は不服らしく、男が下がるのと同時に、

「恐れながら申し上げます」

と言って顔を上げた。それは織之助が聞いたこともない肝の据わった声で、毅然とした顔が見えるようだった。薄い胸板を張って背筋を伸ばすと、素平は小揺るぎもせずに家老を凝視して続けた。

「ただいま、ご厚情と申されましたが、手前は物乞いに参じたわけではございません、書状にし

たためました通り、おのれの不明、不臣がもとで零落し、妻にも先立たれ、住まう家すら失ったいま、せめてご縁のある御当家のお庭を拝借し、武士として切腹するのが望みでございます、ご厚情といわれるのであれば、この身をとむらい、塔婆のひとつも立てていただきたく、さようにお願い申し上げております」

「つまり、それでは不足だと申すか」

「右兵衛尉、大和守さまのご厚情としましては……」

「近ごろ、そういう類の強請たかりが多いそうだな、いかに貧窮しようとも武士のすることではあるまい、それを持って腹が無事なうちに帰るがよい」

柳田が声高に言ったが、素平は怯まずに言い返した。

「お言葉ながら、手前は武士としてお願い申し上げております、腹が無事云々は無礼でござろう」

「ほう、そこまで申すのであれば支度をさせるが、よいか」

「それには及びません、ちょうど三方もございますし、手前のようなものには鋋で十分にございます」

「すると、そこにおるのは介錯人ということかな」

「いいえ、介錯は無用にて、この者は手前の遺骸とご厚情を引き取るために控えております」

そこまで聞いたところで、織之助は震えてきた。ようやく素平の覚悟に思い当たったからだが、素平に口を利くなと言われていることも思い出していた。口を利けば自分も強請の仲間ということになるのかも知れない。だが、一藩の江戸家老が浪人の言うなりに金を出すとも思えなかった。

「あとで戯れだったでは済まぬことぞ」

柳田がそう言ったとき、

「羽生さん、やめてください」

織之助は思わず声を上げて、家老のほうを見た。

「これは茶番です、どうか、なにとぞお許しください」

「黙れ」

と怒鳴ったのは素平だった。

「きさまは黙っていろ、黙ってまことの武士の話し合いを聞いているがいい」

そう言って自分の肩越しに織之助を睨みつけると、素平はまた家老に眼を戻して落ち着いた声で続けた。

「ご覧の通り、身も心も汚れ果てておりますゆえに、最後は武士として潔く死にたいと考え、その一念で参りました、弔いを無心しなければならぬほど落ちぶれた身に、死に場所はほかにございません」

「………」

「どうか哀れと思し召し、ご斟酌くださいますようお願い申し上げます」

家老は逡巡していたが、やがてすっきりとした顔で答えた。

「よかろう、それほど申すのであれば弔いはこのわしが出してやろう、ただし見事に切ればだ……」

「お慈悲のほど、まことにかたじけなく存じ上げます、さればお庭を汚す前に、いまひとつお訊ねしたき儀がございます」

「何だ……」

「享保の飢饉のおりに国許で論議された無尽講の件は、その後いかが相なりましたでしょうか」

「それを聞いてどうする」

「あるいは、心の曇りが晴れるやも知れません」

するとと家老は少し考えてから、あれは廃案になったと聞いておる、と言った。

「たしか郡方が連署して殿に直訴し、殿が当時の執政に意見したはずだが……」

「さようでございましたか」

素平は長い吐息をついて破顔したようだった。織之助がその背を見つめていると、

「では、御免」

と言って脇差を外した。それから三方に手を伸ばして向きをかえ、その上に懐紙を置くと、脇差の柄を外しはじめた。じきに裸になった刀身に、素平は懐紙を巻いて、上部を用意していたらしい紙捻で結んだ。落ち着いた仕草だった。

それで支度は済んだらしく、家老に目礼すると、素平は着物を右肌から脱いで帷子(かたびら)の前を押し広げた。

「ちょうど見頃でございますな、天竜川の河原を思い出します」

素平は微かに首を回して、庭の紅葉を眺めた。そして向き直ると、しばらく瞑目(めいもく)したようだった。

織之助は自分のことのようにぶるぶると震えながら見ていたが、やがて素平が刀を摑んで眼の高さに押しいただくと、たまりかねてうずくまり、両手で耳を押さえた。顔は青ざめていながら頭に血が上り、歯ががちがちと音を立てていたせいか、それからあとの物音はまったく聞こえなかった。

九

ひとりで通夜と野辺送りを営み、住職と思い付く限りの後事(こうじ)を済ませて柳島村の竜眼寺を出たときには日が落ちかけていた。向島の村々は一足さきに冬を迎えたように枯れていて、夕べの道は寒いくらいだった。そういえば竜眼寺の萩も枯れ尽くし、刈る人を待つかのように荒涼としていたと思った。

(それにしても……)

前日の朝には肩を並べて素平と歩いていたことが思い出されて、織之助は歩きながら溜息をついた。たったひとつの思い出を抱いて人間は死ねるものだろうか。あれが武士というものだろうかと、見事なくらいに人生を片付けていった素平の本心を考えていたが、結局は親として娘を助けるために死んだのだろうというのが思い付く答えだった。

けれども、織之助の見てきた弱々しい素平と、介錯もなしに腹を十文字に切った素平が同じ人間とは思えないのも事実だった。あとのことを頼む、と素平は織之助に宛てて遺言状を残していたが、自身のことは綺麗さっぱりと片付けていたし、寺には葬儀の布施まで渡していたのである。心残りといえば娘のことだろうし、心を残しながら死を選んだのもやはり娘のためでしかなかった。

しかも素平は大金を残していった。驚いたことに、素平が切腹すると柳田という江戸家老はぽんと三十両もくれたのである。命に値段があるわけではないが、突然訪ねてきた浪人にくれるにしては大金だった。そうなると確信していた素平の思惑も、それに応えた柳田の胸中も、正直なところ織之助には理解しがたかった。切腹の手際の良し悪しで金が動くのはおかしいし、それが武士の駆け引きとしても、命を売り買いしたことに変わりはないだろう。しかし柳田は素平の死に深く感じるところがあったらしく、それは手厚い処置を施して竜眼寺まで送葬してくれたのだった。

嵐の中で命を守るために金を捨てた我が身に引き比べ、素平の決断は無謀としか言えなかったが、結果は望み通りになった。娘を救うためとはいえ、その裏には生きてゆくことへの諦めがあったに違いないと思うが、あれが武士としての最後の誇りではなかったかという気もしている。それにしても、売った娘にさらに集る親はいても自力で苦界から救い出す親はいないように、素平のしたことは親として当然のことでありながら、一方では常軌を逸した行動でもあった。そしてそれを可能にしたのは、最後まで素平の中に住み続けたらしい武士の誇りではなく、遠いむかしに一家が分け合った河原の光景であるように織之助には思われた。

(いずれにしても、命を売ったことには変わりない……)

壮絶な人の死に直面して揺れる気持ちの始末をつけかねながら、織之助はにわかに夕闇が寄せて暗くなった道を歩いた。すぐにでも双枝に会いたかったが、疲れ切った体で三十両もの大金を持ち歩くのは不用心だし、双枝に会う前に津ノ国の楼主と話をつけるのがさきだと考え、いったん家へ帰り、翌日改めて出直すつもりだった。当然のことながら双枝には訃報も伝えなければならない。家へ向かう道すがら、今夜は考えることが山ほどあって眠れないだろうと思っていたが、大川端へ出たところで急に目眩がして足下が怪しくなってしまい、どっと疲れが出たようだった。

暗い道端に屈んで目眩が去るのを待っていると、近くの川縁に灯が灯るのが見えて、織之助はまた歩き出した。灯の側には人がいるはずで、そこへ行けば体を重くしている寂寥感から逃れられるような気がした。ふらつく足で歩いてゆくと、果たして灯の下には渡し場があって、船頭が数人の客を乗せているところだった。

「待ってくれ」

織之助は言って、転がり込むように舟に乗った。舟が中の郷元町から大川を渡ったところで、織之助は運よく駕籠を拾い、家へ辿り着くなり、その夜は飯も食わずに寝てしまった。

明くる朝、目覚めると前夜の目眩はすっかり消えていて、雨戸を閉め忘れた部屋には眩しいほどに陽が差していた。外は晴れ渡っているらしく、織之助はすぐに起き上がって飯の支度をした。

明けても暮れても腹は減り、その度に飯を食うのは面倒だが、その朝の空腹は生きている実感を呼び起こしてさわやかだった。ひもじさを知っている人間なら、空腹を満たすだけでも生きている喜びは得られる。果たして炊き立ての飯と味噌汁は、砂が水を吸うようにいくらでも胃袋へ入った。あわただしい一夜の眠りの間にも素平の死がもたらした息苦しさはいくらか遠ざかり、双枝に会うことに思いが向きはじめているからだろう。汚れ放題だった部屋を片付けて、織之助は身支度をした。重荷を背負っても下ろしても、人は迎えた一日を生きなければならない。

家を出ると、彼は自分でも意外なほど軽い足取りで深川へ向かった。陽は目覚めたときに感じたよりもおとなしく、乾いた道には家々の淡い影と物静かな人の群れがあるだけで、もう冬と言ってもいい光景だった。季節の移ろいは昨日と今日の日差しの違いでも分かるのに、自身の中の変化は少しも肌に感じられない。素平の死はそれまでに見た最も過酷な現実でありながら、一夜の夢のようでもあった。

いずれ夢のように忘れて、なかったことになるのだろうか。せっかく軽い足取りがもつれるのではないかと、織之助は素平と訪ねた向柳原の屋敷を避けて、浅草の外れから神田川のほとりへ出た。八月に氾濫した川は静けさを取り戻し、澄んだ水に季節の冷たさを映している。荒れた川辺にも人は戻り、行き交う舟が忙しなく櫓の音を響かせていた。

やがて両国橋から大川を渡り、本所から南へいくつもの橋を渡ると、ようやく油堀川へ出て、永代寺の杜や繁華な町並が近付いてきた。織之助は最後に猪ノ口橋という小さな橋を渡って山本町の裾継へ出た。そのあたりでは十五間川と名をかえる油堀川に沿って通りを歩くうちに、卒然と双枝の喜ぶ顔が眼に浮かび、我にもなく感慨が込み上げてきた。

だが、そのために織之助は立ち並ぶ女郎屋のようすがいつもと違うことに気付くのが遅れたようである。まだ時刻が早いので閑散としている通りに不自然な印象は持たなかったが、気が付くと奥から二軒目の津ノ国は表を閉ざしていたし、振り返れば通り過ぎた店々も同様で、中にいるはずの大勢の人の気配が感じられなかった。そして通りには、織之助を含めて数人の人影があるだけだった。

織之助は津ノ国の前に立ち止まり、しばらく茫然とした。戸や窓は固く閉められ、表戸には出入りを禁止する貼紙がしてある。

(警動か……)

思い当たるのは役人の取り締まりで、ほかに女郎屋が一斉に店を閉じる理由は考えられなかった。近所で訊けば分かることだが、すぐには足が動かず、織之助は読み終えたばかりの貼紙を見るともなしに眺めていた。

どうにか金ができて、双枝の年季も明けるというのに、こんな馬鹿なことがあっていいものだろうかと思った。双枝は親に言われるままにその身を犠牲にしてきた。それも生半可な苦労ではない。しかも、何もかも諦めて擦れっ枯らしになるしかない世界に閉じ込められていながら、そうはならなかった。

素平に頼まれて双枝に会ううち、織之助は自分にはないものを双枝の中に見ていたような気がする。心の中に存在する人間の値打ちといったものかも知れない。零落し、堕ちるところまで堕ちても失わないもの。そういうものを素平は娘に植え付けていたから、救い出しさえすれば立ち直ると信じて死んでいったのではなかろうか。だが、そうして今日にも訪れるはずだった双枝の自由は忽然と消えてしまった。

(これが世の中だ……)

と思った。明日のことなどこれっぽっちも信じられない。早い話が、織之助が育ち、生き延びてきた世間がそうだった。こちらがいくら心を尽くしても簡単に裏切り、何事もなかったかのように平然としている。いまは神妙に戸を閉じている店にしたところで、遠からず女を入れて再開することは分かり切っていた。

（ちくしょうめ……）

織之助は歯噛みして、目の前の陰険な現実を振り切るように踵を返した。腹の底から押し上げてきた怒りに震えながらも、どうにか歩いていたが、長い石段を上りつめた途端に突き落とされたような気分だった。

町外れで警動のあったことを確かめてから来た道を正行寺店へ帰ると、路地に女たちが屯していて、絵書きと蒔絵師の娘が祝言をあげることになったと話しかけてきた。娘というのは、嵐の日に絵書きが屋根で抱き合っていた女だろう。織之助は青白い顔で微笑みながら、それはよかったと言って、そそくさと家に入った。行く当てのない女のために片付けていた家の中は、広く寒々として、まるで空家のように見えた。

十

幾度となく吉原を探したものの、とうとう双枝は見つからなかった。警動で捕えられた女たちは奴刑で吉原へ送られたが、双枝は店のものと逃げ延びたのかも知れなかった。二月もかけて、ようやく警動で捕まった津ノ国の女を見つけて訊ねると、おつるという女と双枝の二人だけが、舟で逃げる途中で川へ落ちて行方が知れないということだった。

「生きていたら二人とも運がいいですよ、あたしら、ここで三年もただ働きですからね」

女はそう言ったが、四年目に晴れて自由の身になれるわけではなかった。いまもこれからも自分のことだけで手一杯の女の、うろ覚えの話から分かったのは、おつるという女が江戸の生まれで、いまも亀戸の在に親がいるらしいこと、それだけだった。織之助はすぐに亀戸村へゆき、村中を探し回った。けれども、おつるもおつるの親も見つからず、それらしい噂すら聞けなかったのである。そして双枝の生死も分からないままに月日だけが早瀬のように過ぎていった。

その年の暮れに、織之助は素平が残した金の一部を借りて座頭に借金を返すと、明くる年から金貸しはやめて古着の仲買いをはじめた。同じ店子に仕立物をする女房がいて、袷を仕立て直してもらったときに「あたしの手間賃なんかより、仕立て直しを売るほうがずっと儲かるんですよ」と言われたのがきっかけだった。嵐の日のことや素平のことがあって、金だけを頼るわけにはいかないと思っていたから、いまさら職人にはなれずとも何か物を売り買いするようなことをしてみたかった。古着なら刀剣の目利きほど眼識はいらぬだろうし、使い古した布地として買うつもりになれば元手も知れたものだった。

もっとも当初は仕立て直した古着を買い叩かれて、思ったほどの稼ぎにはならなかったが、それでもこつこつと続けるうちには客がつき、信用もできて、やがて柳原の床店に卸すようになると、買い手を探さなくとも向こうから注文がくるようになった。

織之助はいつか双枝に渡すつもりで、素平から借りた形の金を戻すと、それからは三十両には手をつけずに黙々と働いた。忙しく働いていると、うまい具合に金も生きている実感も手に入った。だが、生きてゆくことが楽になればなるほど、双枝や素平のことが思い出されて、人の幸、不幸がその人間の善し悪しには関りのないことを痛感することにもなった。

そこにある三十両が素平の命にも等しいと思うと、どうしても双枝に渡さなければならないと思う。けれども双枝が生きていて、しかも江戸にいるとは限らなかった。織之助は商売に精を出す傍ら双枝を探し続けたが、まったく当てのないことで、とうとう五年経ち六年経っても手掛かりすらつかめなかった。

双枝が生きていれば二十九歳になるその年は、正月から米不足で米価が高騰し、人々は粥食を強いられたが、密蔵するほどあるところにはあって、実際に粥を食べていたのは貧乏人だけではなかったろうか。正行寺店でも住人は粥よりも薄い雑炊を食べていたが、皮肉なことに、そういうときこそ古着の商いは買うほうも売るほうもうまくゆき、織之助の懐は暖かくなっていた。いつの間にか無腰で生きてゆけるようになると、生涯の苦難のように思われた身分も気にならなくなり、いつかは当てにならない世間に足をすくわれ、躓(つまず)く日が来るとしても、大仰には恐れなくなっていた。そのときはそのときでまた遣り直せばいい。大切なのは双枝のように自分を持つことで、生まれた家や世の中を恨んでもはじまらない。そう思えるようになったからか、自然と商売にも弾みがついて大きくなりかけたところだった。

いっそのことどこかに店を出そうかと考えていたとき、ちょうど柳原の床店の権利を譲りたいという話があって、織之助はその日も柳原へ商談に出かけていた。澄み切った空が高く、新涼を感じさせる爽やかな夕暮れだった。神田川には涼を呼ぶ川風が出て柳の枝を揺らしていたが、土手を背にして並ぶ床店の古着はおとなしく衣紋掛けに下がっていた。

「まあ、何とか年内にはお譲りしたいと思いますので、今日は少し話を詰めましょう」

主人の多兵衛はそう言うと、客の途切れを見計らって店仕舞いをはじめた。床店はほんの僅かな敷地に小屋掛けをして商品を置くだけの店で、一日の商いは日が落ちるまでと決まっている。主人の住まいは別にあって毎日通うことになるが、そんな店でも譲り受けるとなると案外な大金がいるのだった。

織之助は軒先に吊るしてある着物を取り込みながら、ついさっきから気になっていた通りの五間ばかりさきに眼をやった。

「以前にも見かけましたが、あの子はどこかの店の子ですか」

「さあ、団子屋の娘じゃないかね」

多兵衛は商人の癖で、見窄らしい人間を見る眼は冷たかった。古着屋の途切れる角に屋台の団子売りが出ていて、娘はその店先に立っていた。しかし四、五歳に見える娘はじっと団子が焼けるのを見ていて、団子屋の娘というよりは腹が空いているようだった。

「ちょっとお待ちいただけますか」

織之助は多兵衛に言って、団子屋のほうへ歩いていった。幼いわりに頰の膨らみが乏しく、しかしきりりとした娘の横顔に、どことなく近しさを覚えたのである。娘は商売の邪魔にならぬように屋台の端のほうに立ち、片方の手を握りしめていた。

「娘さんかね」

織之助が訊くと、団子屋の男は汗の浮かんだ顔を上げて首を振った。

「いつもこの時分になると来るんですよ、ただねえ、ずっと見ているだけでしてね……」

「ひとつ、もらおうか」

と織之助は言った。串に五つ刺した団子は五文と決まっていて、屋台には餡と醤油の付け焼きが並んでいた。織之助はまだ湯気の立っている付け焼きのほうをとって娘にすすめた。

「さあ、お食べ、遠慮はいらない」

だが娘は激しく首を振り、きつく握っていた拳を開いてみせた。小さな掌の上には銭が三枚あったが、団子は五文するので買えずにいたらしい。

「お金はいいんだよ、お食べ」

織之助はもう一度すすめたが、娘はやはり首を振って後退りした。それから両手をうしろに組んではっきりと言った。

「おなか、いっぱい」

「………」

いきなり何かで脳天を打たれたように青ざめながら、織之助は食い入るように娘の痩せた顔を眺めた。これからどうにでも面変わりする童女のことだから判然としないものの、そう思って見るせいか、母親を想像するのはたやすかった。

「お嬢ちゃん、名前は何ていうんだね」

と織之助は努めて優しく訊ねた。

「わたしはね、そこのお店に着物を売るのが商売でね、この通り怪しいものじゃない、名前を教えてくれないかな」

すると娘は少しためらってから、

「おりえ」

と小声で答えた。

「おりえ？」

織之助は震える声で繰り返した。

「そうか、織枝というのか……」

「うん」

「じゃあ、かあさんにも団子を持っていってやろう、近くにいるんだろう？」

そう言ったとき、

「よしなさい」

と多兵衛の刺々しい声が聞こえた。振り向くと、店の戸締まりは済んだらしく、多兵衛は半纏を肩にかけて後ろに立っていた。

「夜鷹の子ですよ、あんなものに関っちゃいけない、それより大事な商談です、どこか気の利いた店で一杯やりましょう」

多兵衛はそう耳打ちした。

「わたしたちにふさわしい、まともな女のいる店でね」

織之助は露骨に眉をひそめた。

「申しわけございませんが、商談はまた日を改めてということに……」

「何ですって、今日が大事な日だということはさっきも言ったはずですがね」

「ええ、分かっています、ですが、わたしにはもっと大事なことができたんです」

「ほう、こんな娘のために、またとない話をふいにするつもりですか、それじゃ、話はなかったことにしてもいいんですね」

多兵衛が憮然として脅しにかかるのへ、織之助はじろりと眼を据えると、腹の底からはっきりと言い返した。

「あんなものとか、こんな娘とか、同じ人間に対して言うことではないでしょう、あの子もあの子の母親も、人並みの運に恵まれなかったことを除けば、あなたの娘さんとだって何も違いやしない、いや、もしかすると、あなたたち父娘よりずっと立派な人間かも知れませんよ」

山なりに盛り上がった瘤の切れ目から土手を越えて狭い川端に腰を下ろすと、日がすとんと落ちるところだった。まだ上空は灰白に染まっているが、東のほうからみるみる夜が近付いてきている。神田川は小波を立てていて、小舟が通り過ぎる度に油のような波が二人の足下で静かな音を立てた。

やがて瞬くほどの間に空が紫紺色に暮れると、澄んだ流れの向こうには浅草の火影がぽつぽつと増してゆくのが見えて、柳原の通りから土手を隔てただけの川辺はそこだけが神仏に守られているかのような静けさだった。

「ここで死んだの」

と娘はうなだれて話した。母親が何かの病で死んだのは一月ほど前のことで、死骸は顔見知りの夜鷹が川へ流したらしい。以前は本所というところに住んでいたが、帰る道が分からず、帰ったところで誰もいないので、それからは柳原の稲荷の物陰を住処にしているということだった。母親が残した僅かな金で生き延びてきたのだろう。

娘は母親の名も商売も知らなかったが、曖昧な出自は知っていて、かかさまは武家の生まれだと言った。だから意地汚い真似をしてはならないと、母親に教えられたのだそうである。父親のことは知らない。

「わたしは、おまえのかかさまをよく知っているよ、それは潔い人だったね」

織之助は言ったが、娘の母親が双枝かどうかは分からない。双枝であれば夜鷹にまで身を落として死んだことになり、願わくばそうではないと思いたい。だが織之助はようやく辿り着くところへ着いたような気持ちでそう言った。たったいま二人で見つめているものが娘の脳裡に焼き付くことは間違いないだろう。深い傷として記憶に残るか、生きてゆく支えになるのか、できることなら双枝が見たという河原に変えてやりたいと思う。

いくらか商売がうまくいったからといって、金のために人にへつらい身をすくめて生きてゆくことはない。人と人が本当に大切なものを分かち合えるなら、娘が他人でもかまわない。素平も双枝も他人だったが、未だに心に住んでいるではないか。

「この眺めをようく覚えておくんだよ」

織之助は言って、胸の底から深い吐息をついた。娘はようやく安心したのか団子を食べている。

「いいね、ここから本当のことがはじまるんだから……」

言いながら、織之助は自分自身にも支えとなるものを見つけた安堵に心が緩むのを感じた。人が生きてゆく限り、不運や障害も生まれ続けて絶えることはないだろう。童女ですら戦っている。生きている証からも逃れようとして、織之助は長い間、背を丸めて生きてきたような気がした。

気が付くと、いつの間にか空を紫紺色に染めていた日の光は失せて、二人のいる川辺はすっぽりと闇に包まれていた。風が揺らすのだろう、川面がひたひたと音を立てている。

「かかさまが、ほら、そこで笑っているよ」

織之助は儚い笑みを浮かべた。二十三歳のまま変わらない双枝の顔が見えている。娘は微かにうなずいたようだった。にわかに冷えてきた風に吹かれながら、無心に団子を頬張る娘も、じっと川面を見つめる織之助も、いつしか湛々(たんたん)とした安らぎの中にいた。

早梅記

一

城の大手先にある一ノ町の屋敷を出ると、高村喜蔵はいつものように逆井川へ向かって歩き出した。夜が明けて間もない冬の早朝のことである。道には霜が降り、水溜まりには氷が張っているが、顔見知りに出会うことのない気楽さが好きでそうしている。屋敷から逆井川へ向かう道順も、川を眺めながら休む場所も変わらない、ただ続けることが、いつしか目的となった散歩だった。

　喜蔵が散歩をはじめたのは、一年前に致仕してから一月ほどが過ぎたころで、以来、家中が登城する前の人気のない道を歩くのが唯一の日課となっていた。当初は散歩など年寄りくさいと思っていたが、そういう齢であることには違いなく、実際のところ隠居して何をするでもない一日が続くと、散歩でもしなければ体が持たない気がしたのである。

　もともと足腰は丈夫なほうだが、使い道がないとなると何となく不安でもあった。けれども、隠居所となった離れで立ったり座ったりしているのは馬鹿馬鹿しいし、思ったほど気分も晴れない。僅か一月の間に、みるみる食も細くなってしまった。

するともう隠居の身が厭になって、いっそのこと旅に出ようかなどと真剣に考えたりもした。老いたりとはいえ、家でのんびりと暮らせる性分ではなかったのである。このままぶらぶらとするうちに病を得て嫁の厄介になるのも煩わしいが、何よりも退屈な一日が苦手だった。喜蔵の妻は彼が隠居した途端に卒中で逝ってしまい、家の中に話し相手がいなくなったこともある。妻のともがいなくなると、不思議と伜夫婦とも反りが合わなくなってしまい、いまでは疎外感すら覚える。かといって他人と話したいというのでもない。そういうわけの分からない淋しさこそが、歳をとった証かも知れなかった。

年が明けて五十四歳になる喜蔵がたっつけを穿き、短い釣竿と握り飯を入れた魚籠を持って歩く姿も、当人が思うよりは年寄りそのものであった。頭にもいくらか霜をいただいている。釣竿は大刀を外して身軽になったかわりに持つだけで、実際に釣りをするわけではなかった。逆井川へゆくのも、そこが片道半刻ほどと決めている散歩の距離にあるからで、帰りに寺町の茶店に寄るのが楽しみといえば楽しみだった。

冬の朝はただただ寒く、床を出るのも冷水で顔を洗うのも億劫だが、身支度をして歩き出すと気が引きしまり、やがて眼も冴え冴えとしてくる。日中は暮らしの音に紛れてしまう小鳥の声がよく徹り、道筋の家々からは朝餉の支度をする気配が洩れてくる。大きな屋敷の並ぶ一ノ町を過ぎて二ノ町から寺町へ入ると、杜の木立から聞こえる鳥たちの囀りがうるさいほどであった。

ちょうどそのころ人々は起き出すのか、町屋へ出ると、通りにはぽつぽつと人影が見えてくる。豆腐や蜆を天秤で担いで売り歩くものや店先を竹箒で掃くものがいれば、旅籠はもう表を開けていて、女中の声が聞こえてきたり、早立ちする旅人を見かけたりする。あてもなく散歩する男の眼には、早朝から立ち働くものの姿はどこか凜々しく見えて、こちらの身が縮む思いがする。そんなとき、彼は本当に背を丸めて歩いた。

町屋を抜けると逆井川までは田中を幾筋かの野路が貫いている。喜蔵の体が芯から目覚めるのもそのころで、彼は城下を外れるあたりからよく物思いに耽った。人生を楽しむこともなく死んでいった妻のことや、もう関りのない藩政のことなどである。その日も歩くうちに、何気ないともの言葉を思い出していた。

「もしもわたくしがさきに死ぬようなことになったら、どういたしましょう」

あるとき何かの話のついでに言われたことだが、結果がその通りになってみると、ともの心配が分かる気がするのだった。ひょっとするとあれは思い付きで言ったのではなく、本当に案じていたのかも知れない、といまではその深い思いやりを認めないわけにはいかない。役目に夢中で家のことなどかまわなかった男が、いつか家に取り残されたときの淋しさを、ともは予感していたのである。喜蔵はしかし、彼女のどこか悠長な心配を笑っただけで取り合わなかった。

（見縊ったつけが回ってきたのだ……）

喜蔵は思ったが、当時はまさか妻に先立たれるとは思わなかったのである。ともは倒れる間際まで顔色もよく、これからは毎日二人で散歩に出かけましょうかなどと、半ば本気で言いながら笑っていたのだった。結局、一度も二人で散歩に出かけたことはなく、喜蔵はそれも心残りで散歩をはじめたのかも知れなかった。

町屋から遠ざかるにつれて、ぽつぽつと百姓家が現われ、野路はところどころで辻になり縦横に伸びていた。細い小川のような用水路は水が凍らずに流れていて、案外に眩しい冬の陽を映してきらめいている。

枯草の残る道を歩きながら、喜蔵は何もない冬田の向こうに見える林を眺めた。低いところにはまだ緑が見えるものの、大方は葉が落ちて肌が透けたような疎林(そりん)だった。その際に数軒の粗末な家があって、竈(かまど)の煙が立っている。城下には住めない在郷の足軽の家で、俸給だけでは暮らしの立たない彼らは、小さな畑と野山の恵みに頼り、山菜や木の実はもちろん、薪(たきぎ)や炭に金を使うゆとりはないのだった。

喜蔵はこれまで遠目にしか足軽の暮らしを見たことはなかったが、城中や城下で働く彼らを見るとき、小役人として一生を終えるであろう彼らの苦悩や暮らし向きを慮(おもんぱか)ることはあった。足軽ではないものの、喜蔵の家も家禄十石、中小姓席・七両二人扶持(ぶち)という軽輩だったからである。二十歳で父を亡くすまでの暮らしと、家督を継いでからの暮らしには徐々に差ができたが、生まれてから約三十年に及んだ貧しさを彼はその後も忘れたことはなかった。二十九歳で六十石を給わるようになったときも、内心ではまだまだと思っていたし、四十五歳で百石を取るようになったときも、彼ははじめて貧困と決別したと思ったが、出るほうも増えて現実の暮らし向きはさほどに豊かになったわけではなかった。しかも、その成功の陰には大きな代償もあったのである。

喜蔵がともを妻に迎えたのは三十歳のときで、初婚としては遅い嫁取りだった。それまで縁談がなかったわけではないが、彼は嫁取りよりもまずは出世と考えていたから、意図して人のすすめる結婚を避けてきたところがある。安易に流れて価値あるものを得られるとも思えなかった。

もっとも父の死から四年後に母も病を得て急逝してしまうと、家に女手がないことには暮らしづらくなって、足軽の三女を雇って家政を任せた。娘は名をしょうぶといって、近在の新宿村から出てきたときには蓬頭垢衣の百姓と変わらなかったが、垢を落として髪を結うと見違えるほど美しくなって喜蔵を驚かせた。しかも美しいだけでなく正直で、賄いを任せると月毎に余った金を正直に返してよこした。喜蔵はすっかり彼女を気に入ってしまい、一つ屋根の下に暮らす二人が事実上の夫婦となるのに長い時はかからなかったのである。

そうしてはじまった二人きりの暮らしは永遠に続くかに思われたが、やがて陰湿な噂が立って、危うい綱渡りが続いた。喜蔵は噂を否定するでも認めるでもなく平然としていた。当初は中傷に過ぎなかった噂が事実となったこともあるが、それ自体は些細なことだと思っていたのである。

彼はしょうぶにもそう言い聞かせた。

「わたくしは旦那さまのそばに置いていただけるなら、何を言われてもかまいません」

喜蔵と一年を暮らして十六になっていたしょうぶは彼の正妻になることを望んでいただろうし、喜蔵もそのことを考えないわけではなかった。だが、お互いに低いなりに身分が違ったし、出世を人生の柱に据えていた喜蔵には、藩に願い出て足軽の娘を娶るのは勇気のいることだった。仮に許されたとしても二人の暮らしは変わらないが、出世は遥かに遠退くだろう。わざわざそんなことをしなくとも、若い二人の暮らしを脅かすものといえば噂しかなかった。

ところがしだいに世間の口がうるさくなって、上役の世話でともを迎えなければならなくなったとき、彼は召し出されたときの中小姓席から馬廻席にすすんでいた。家も組屋敷から広い一軒家に移り、しょうぶのほかに奉公人もひとり抱えていた。彼はしょうぶを妾として町家に住まわせることを考えたが、それはしょうぶが聞かなかった。

「お暇をいただきとうございます」

妾として奉公を続けるかわりに、彼女は喜蔵の縁談がまとまった翌春、ともが嫁入りする直前になって、あっさりと荷物をまとめて出ていったのである。喜蔵が餞別として渡そうとした三両も、自分には過分だと言って受け取らなかった。そのとき二十一歳になっていた彼女は村へ帰ると言ったが、貧しい実家に居場所があるとは思えなかったから、いずれは自分を頼ってくるだろう、と喜蔵は考えていた。そしてそのときが来たら、何も言わずに力になってやろうと思っていた。

しかし、しょうぶはそれきりただの一度も喜蔵の前に姿を見せず、一通の手紙をよこすでもなかった。何も求めず、恨みごとも言わずに去っていったしょうぶが哀れで、喜蔵はしばらく忘れられなかったが、やがてともが来て家の空気ががらりと一変したとき、ようやくしょうぶの本心が分かった気がしたのだった。とものために家の中は見事に片付けられていたが、しょうぶが最も念入りに片付けていったのは彼女自身の匂いであった。

妾として城下に暮らしても誰のためにもならない、そういう気持ちの半分も分かっていたなら、何か暮らしの立つようにしてやることもできたのである。それを喜蔵は、しょうぶが妾になることを嫌ったとしか思わなかった。一方で哀れに思いながら、その実、妾になるのが厭なら別れるしかないと思った。当時の喜蔵の眼には女子が彼の人生に合わせて都合よく動いてゆくように見えていたのである。

それから二十三年が経ち、ともが死に、ひとりになってみると、若さと真心を貧しい時期の喜蔵のために費やし、食べてゆくあてもなく出ていったしょうぶが、なおさら哀れに思われてならなかった。ともがしょうぶの存在を思い煩うことなく死ねたのも、喜蔵がともと人並みに円満な夫婦としてやってこられたのも、彼女のお蔭だった。妻に死別して夫婦が終わりを迎えたときになって、喜蔵は改めて自分の人生がしょうぶとともという二人の女子に負うところが大きかったことを実感しなければならなかった。

(それにしても粗末な家だな……)

いつの間にか喜蔵はいつもの道を逸れて、ついさっき歩きながら眺めていた疎林の際にまで来ていた。目の前に、林の外側を拓いたらしい畑と足軽の家が並んでいる。どれも一軒家だが、うらぶれた百姓家のようで、共同で使うらしい井戸のほうが立派に見えるくらいだった。ちょうど食事どきなのか外に人の姿はなく、家の中から団欒の気配だけが伝わってくる。家と家を隔てている畑は冬耕のあとらしく、鋤き起こしてあるが作物は何も見えない。玄関の脇にある立ち木に何か青菜が干してあるだけであった。

（大根の葉にしては遅いが……）

喜蔵は思ったが、それが何であるのかは分からなかった。隠居して散歩に出るようになってから、彼は景色の中に埋もれているものをよく見るようになっていた。家々の垣根に咲く花や道端の一里塚といった、それまでは見ているようで見えていなかったものに気付くと、眼が澄んだような気になる。しょうぶのことも、そういうもののひとつかも知れなかった。

ぼんやりと立っていると家から子供が出てきたので、喜蔵はまた逆井川へ向かって歩き出した。少し回り道をしたが、その道も逆井川へと続いている。しばらくしていつもの道へ戻ると、前方に枯れ残ったすすきや冬草に被われた低い土手が見えて、そこから逆井川まではあと少しの道程だった。彼は体よりも冷えてきたらしい気持ちを励ましながら歩いていった。

土手を上ると、喜蔵は川下のよく見えるいつもの場所へゆき、欅に似た太い立ち木の木陰に腰を下ろした。冬の陽は眩しいと思っていると、すぐに薄らぎ、うっかりしていると風邪をひくことになるが、そこは昼まで陽が当たるし、風が立てば少しは除けられるところだった。

逆井川はそのあたりでは幅五間ほどの流れになって川底も深いが、三里も川上へゆくと石の多い細い流れに分かれ、どれが源流とも言えないような川がいくつか山の斜面を流れてくる。それが城下の西を流れるころには人が溺れるほどの深さとなって、稲作にはかかせない水となるのだった。見えている川向こうは本庄村といって、領内では最も肥沃な土地が広がるが、冬のいまは客土を入れて土を休めている。

人間もそんなふうにできたら、生き生きとするだろうにと思いながら、喜蔵は荒起こししてほとんど黒く見える田地を眺めた。しょうぶのことを思い出したせいで気が滅入っていたが、それでも広々とした田地を眺めるうちに縮んでいた気持ちはいくらか解れていった。冬にしては濃い日差しが土地一面に降りそそいでいるせいだろうか、おおらかな陽に触れると、まだ何かに見守られて生きているような安らぎを覚える。彼は魚籠から握り飯を取り出して、いつものようにゆっくりと齧った。

しかし、あのとき感情に走ってしょうぶを娶っていたら、いまの自分はなかっただろうとも思う。それはまず間違いのないことである。卓越した力も伝もないうえに妻が足軽の娘では、馬廻席へ昇れたかどうかも怪しい。ただ、若いころの望みを果たし、残ったものを見たとき、これでよかったのかどうかと疑わずにはいられない気持ちだった。

(そう何もかもうまくはいかんさ……)

彼は思いながら、足下の流れへ眼を落とした。ゆったりと陽を浴びた逆井川の川面には枯草が流れ、力尽きたように、あてどなく浮かんでは消えていった。

二

しょうぶがたったひとりで新宿村から出てきたとき、喜蔵は勤番で城の広間に詰めていた。六月の暑い日で、午後に藩主が帰国したあとも何やかやと忙しく、役目を終えて帰宅したときには日が暮れかけていた。

当時、広間番を務める中小姓の組屋敷は城下の片町にあって、喜蔵の家は木戸口を入って西側の二軒目だった。隣家とは生垣で仕切られた敷地は二百坪と広いが、家は粗末で畳敷きの部屋が二間と板の間、それに台所と厠があるきりだった。空地はどの家も畑にして細々と蔬菜を作っていたが、ひとり暮らしの喜蔵はそうそう手間もかけられず、春に胡瓜と茄子の種を蒔いたまま、あまり水もくれていなかった。

喜蔵が城から戻ると、しょうぶはその畑にいて、門番の小者に借りたらしい桶と柄杓で水を撒いていていた。することもなく待ちくたびれたうえ、育ちの悪い胡瓜や茄子が哀れに見えたのだろう。

「門番に聞いたが、そなたがしょうぶか」

喜蔵が声をかけると、彼女は畑に棒立ちになって、ちょこんと辞儀をした。強い西日に着物も顔も赤く染まり、行灯の前にでも立っているように見えたが、顔は恐ろしいものでも見たように強ばっていた。

　喜蔵は歩み寄って微笑(ほほえ)みかけた。

「水をくれていたのか、気がきくな」

「茄子はもう駄目かも知れません」

「そうか、もう駄目か」

「でも、毎日水をやれば持ち直すかも……」

「では、そうしてくれ」

　彼は言って、ともかく家へ入るようにとすすめた。しょうぶが門番へ桶と柄杓を返しにゆくのを待って、彼らは家へ上がった。ところが家の中で挨拶を聞くうち、ひどい臭いが鼻を突いたのである。しょうぶは足軽の娘だが、滑らかな言葉付きを除けば貧しい百姓そのもので、臭気は垢衣に染みついているだけではないように思われた。

「だいぶ風呂に入っておらんようだな」

「家にありませんでしたから……」

　彼女はうつむいて頰を赤くした。

「ここにもない、ないが行水はする、台所に盥(たらい)があるからまず水を浴びろ、それから明日は髪結いにゆけ、少しは武家の奉公人らしくせんとな」

「はい……」

「着替えはそれだけか」

薄っぺらな風呂敷包みに目を当てた喜蔵へ、

「こちらで夏の単と冬の袷を一枚ずついただけると聞いております」

しょうぶが言い、喜蔵はそれを母親が残した着物のうちから与えるつもりだったことを思い出した。彼はすぐに立っていって居間にある行李を開けると、そこから好きなものを選ぶようにと言った。そのとき、しょうぶは喜蔵の母が最も着古した普段着を選んだ。

「袖丈は自分で何とかしろ」

「ありがとうございます」

「飯は炊けるな」

「はい」

その夜から、彼女は喜蔵ひとりのために飯を炊き、掃除や洗濯はもちろん畑の世話をしたりと陰日向なく働いた。喜蔵が親許に送った二両で、しょうぶは三年の年季奉公が決まり、高村家の奉公人となったのである。三年の年季と薄給は喜蔵の都合であって、奉公といえば聞こえはいいが、口減らしのための身売りではなかったろうか。

その翌夕、きりりと髪を結ったしょうぶを見たとき、喜蔵はふっと胸の中が和らいだように感じた。いま思うと、それが男女の直感だったのかも知れない。彼女はくるりとした眼を光らせて、髪を結ったことがこの上もなく嬉しそうであった。笑うと幼い色気がこぼれ、前日の姿とは見違えるほど美しかった。

だが、それよりも驚いたのは、その後のまったく無駄のない遣り繰りで、しょうぶは十五の歳で喜蔵の母よりも家政が達者だったのである。月々の費えは喜蔵ひとりのときよりも少ないくらいだった。貧しさのどん底に育って物がない分、何であれ工夫することを覚えたらしい。

「おまえのお蔭で、たまには外で酒が飲めるようになったし、飯もうまい」

お互いに気心が知れたころになって、喜蔵はそう言った。二人でとる食事にも茶を一服する間の雑談にも馴れて、しょうぶのいない一日は考えられなくなっていた。しかも、しょうぶは組屋敷でも評判がよく、人々は働きものの娘として温かな眼を向けていた。そして、ある部分では願ってもない奉公人を得た喜蔵を羨んでいたのだろう。しょうぶの評判は月日が経つにつれて中傷と怨嗟に変わっていった。

それは、たとえ主従であれ、ひとつ屋根の下に男女が眠るのはふしだらであるとか、そもそもそのための奉公ではないのかとか、掌を返したような陰湿な陰口だった。

「つまらぬ噂だ、堂々としておればよい」

喜蔵は言ったが、正直なしょうぶは打ちひしがれて、それからしばらくは人目を避けるようになった。喜蔵の眼が届かないところで何か言われるのかも知れず、愚痴はひとことも洩らさなかったが、随分つらい思いをしたようであった。喜蔵はそれとなく彼女を励ましながら、その一方で仕方がないと思っていた。

小心で貧しいままに終わった父親を見てきたせいか喜蔵は野心家で、いずれ出世して組屋敷を出るつもりだったから、小さな世間のことにかまってもいられなかった。彼は城でも人の嫌がることをすすんでしたし、上役の眼にとまることなら何でもやった。だが、そういうところが無事をよしとする朋輩たちに嫌われ、浮いた存在になりかけていた。つまりは、しょうぶのことがなくとも、彼自身が陰口をきかれてもおかしくはない立場にいたのである。

「しかし困ったものだな、組屋敷には子女もおることだし……」

あるとき、喜蔵は組頭の小池重左衛門（こいけじゅうざえもん）に呼ばれて小言を言われた。

「誰かひとりでも家族がいればこういうことにはなるまいが……」

「ひとり暮らしゆえ、雇い入れた奉公人です」

「それはそうだろうが、それなら嫁をもらえば済むことであろう、そのほうが世間もわしも納得する、そろそろ考えてみてはどうだ」

「いいえ、それは手前にはまだ早いかと心得ます、いましばらくはお役目に専念し、できれば地歩を固めてからにいたしたく……」

「ま、それもひとつの考えだが、そううまくはいかんぞ」

重左衛門は苦い顔をして、喜蔵の夢見がちな気性を腹の中では笑ったようだった。重左衛門はそれまでの一生をかけて中小姓からその組頭となった人である。出世がたやすくないことは誰よりも知っている。

「ところで、お役替えの話はいかが相成りましたか」

喜蔵はちょうどよいおりと思い、重左衛門から内々に聞いていた話を持ち出した。それは組子の中から二人、この秋には大小姓席への取り立てがあるだろうという話だった。しかし、それにも重左衛門は苦い顔で答えた。

「それなら、つい先日、三野松之助に決まった」

喜蔵は内心うろたえながら訊ねた。

「三野どのが……」

「それで、いまひとりは？」

「此度は見送ることになった、上に空きもないのでな」

喜蔵の期待を知っていながら、重左衛門の口調は冷たかった。表情もどこかむっとしている。喜蔵はふと、三野松之助が重左衛門に賂を使ったのではないかと思った。重左衛門が内々に話して聞かせたのは、そういう示唆であったかも知れず、喜蔵も賂に近いことを考えないわけではなかったが、肝心の金がなかったし、借金をしてまでしようとは思わなかった。昇進が決まった三野は風貌だけが凛々しく、中身は凡庸な男である。ただし、家老の息子だった。そのため組屋敷にも住まわず、城へは大手先の屋敷から通ってくる。近習の務めも、やがて家老になるための修業のようなものだろう。あるいは重左衛門のほうが三野に気を遣ったとも考えられたが、いずれにしても家格が決めた昇進には違いなかった。

「そなたほどの器量なら、よい嫁を探すのが出世の早道かも知れまい、そのためにもよからぬ噂が立たぬようにすることだな」

重左衛門は言って咳払いをした。話は終わったという意味で、喜蔵は深々と辞儀をして立ち上がったが、部屋を出る間にもむらむらと怒りが込み上げてくるのを感じた。しょうぶのことで小言を言われたことと役替えの結果の両方に腹が立っていた。喜蔵にその話をしたとき、重左衛門はほぼ決まっていることを内示するような口振りだったのである。もっとも、最後は上が決めることだから万が一ということもある、とも言った。それが賂の催促だったのかも知れない。

（くそ、酒でも飲むか……）

喜蔵は城を下がると、その足で寺町裏にある寺社方の新長屋へゆき、友人の玉井助八を酒に誘った。助八は神道流・風岡道場の同門で、喜蔵と同じ年に召し出されて以来、寺社奉行の手代をしている。役目が違うので却って話が合うし、愚痴や悪口がお互いの朋輩に伝わる心配もいらなかった。

「それはいいが、店で飲むほど持ち合わせがない」

助八は正直に言い、家に少しばかり酒があるので上がらないか、とすすめた。小さな玄関から喜蔵はちらりと助八の体に隠れている座敷を見たが、日暮れ前の薄暗い部屋には汚れ物が散らかっていて、これから片付けるところらしかった。

「いや、できれば今日は外で飲みたい、勘定はわしが持つから、どこか安い店へゆこう」

「そうか、ではちょっと待ってくれ」

助八は奥にいるらしい妻女に声をかけてから、袴を穿いて出てきた。あとから妻女が見送りにきて挨拶をしたが、赤子に乳でもくれていたのか落ち着かないようすだった。

「奥方に悪かったかな、ちょうど手の掛かるときだろう」

歩きながら喜蔵が言うと、助八は苦笑してから笑顔になった。

「それよ、寝ているときはいいが、泣く子をあやすのは骨が折れるものでな、実は、わしも息抜きがしたかったところだ」

「すると家で飲もうといったのは、あれは奥方への気遣いか」

「ま、そんなところだ、しかし金がないのはまことだ」

助八は袖を広げて物乞いの真似をした。ざっくばらんな男で、貧乏も助八にかかると悠長な身過ぎに思われるから不思議だった。彼は町屋の隅々まで知っていて、喜蔵を旅籠町(はたごちょう)の裏にある小さな飲み屋へ案内した。

表通りから横道を幾度か抜けてゆくと、そこは鉄砲小路(てっぽうこうじ)といって、路地のように細い道に安酒を売る店が軒を並べている。通りのようすが鉄砲の筒のようであるのと、亭主がそこへ飲みにゆくと帰ってこないことからそう言われるらしい。助八の案内で二人は「つるぎ屋」という、奥に一間だけ小座敷のある店へ入った。時刻が早いせいか中はまだ空(す)いていて、土間とは一枚の襖で仕切られた小座敷も空(あ)いていたが、窓がなく魚油の煙が染みついていてひどい臭いのする座敷だった。

「よく、こんなところを知っているな」

「蛇の道は蛇でな、安いところ安いところへと勝手に足が向いてしまう」

笑いながら、助八は注文を待っている小女へ指を二本立てて見せた。銚子二本ということらしい。喜蔵は何か肴をと思ったが、それはあとにして言った。

「ところで寺社方の勤めのほうはどうだ、子が生まれてご祝儀でももらったか」

「とんでもない、こっちもそのつもりで報告したのだが、そうか、それはよかった、のひとことで片付けられてしまった」

「寺社奉行は名のわりに実が少ないか」

「それもあるが、お奉行の人柄だな」

助八は前の奉行が人物だったことを持ち出して、おれはついてない、と話した。

「このまま何事もなく手代で終わるかも知れん、そう思うと情けないが仕方がない」

「しかし、寺社方は出世が堅いというではないか、たしか前の奉行も手代から昇ったと聞く、伊藤さまといったか」

「それもむかしの話になりつつある、いまは町方ほど目立つこともないしな」

助八がそう言ったとき、小女が酒を運んできたので、喜蔵は何か肴をとろうと言った。

「いいのか」

「ああ、だが、あまり高くないものにしてくれ、おれは魚の煮付けと漬物があればいい」

「では遠慮なくいただく、ここに高いものなんぞないからな」

助八は言うが早いか、我慢していたらしい好物を手際よく注文した。といっても、おでんや烏賊げそなどで、やはり安そうなものだった。店に入ったときにそれらしい匂いがしたのはおでんで、肴はどれも出来合いらしく酒よりも早く運ばれてきた。

「しかし、おぬしもそろそろ嫁がほしいころだろう、下働きの娘では女房のかわりは務まらぬからな」

助八はさりげなく言ったが、喜蔵が抱えているわだかまりがそのあたりのことだろうと察しているようすだった。彼は喜蔵に酌をしながら、違うか、というような眼でちらりと顔色を見た。

「実は、今日もそのことで組頭に小言を言われたところだ」

助八が向けた水を、喜蔵は快く引き取って切り出した。

「組屋敷で妙な噂が立ってな、早くいい嫁を探せと言われた、それが出世の早道だともな、だがどちらも言いがかりのようなもので、本当は出世の話が立ち消えになった言いわけなのだ」

「出世の話があったのか」

「うむ、いまだから言えるが、大小姓にという話が内々にあって、それがどうも賂の催促だったらしい」

「ほう……」

助八は口へ運びかけた盃を置いて、また喜蔵に酌をした。

「すると、おぬしは賂を使わなかったのか」

「できるわけがない、そんな余裕のある身分ではなかろう」

喜蔵は声高に言ったものの、賂を使って出世する人間に腹を立てているのか、金がなくて賂を使えない自分に腹を立てているのか分からない気がした。助八は苦笑しながら、そうだな、と呟いたが、そういう話があるだけでもいい、とも言った。寺社方はいま人手と掛かりを減らす方向にあって、仕事は増えるが出世どころの話ではない。藩の庇護下にある寺々は祈禱料を削られ、きゅうきゅうとしている。それを監督し、寺社領を管轄する寺社方も、藩の重職たちには同じような眼で見られている。

「出世など夢のまた夢、下手をすると俸禄まで削られかねない」

と彼は真顔で話した。

「むかしから出世を決めるのは家柄と決まっている、結局は身分と金のあるものが出世して、やがて重職に納まる、景気の悪いときはなおさらだな」

「そういうが、おれたちに景気のいいときなどないじゃないか、悪いからこそ出世して少しはよくしたいと思うのに、それにもまず金では話にならん」

「だが、それが現実だ」

助八は他人事のような口調で、おぬしは理想が高いから承服せんだろうが、この仕組みは永久に変わるまいと言った。おおらかな助八に真顔でそう言われると、喜蔵は目の前が真暗になった。

「承服できんな、そんなことは……」

彼は気持ちのままに酒を呷った。そうするために助八を誘い出したものの、いつものように気分は晴れそうになかった。よい嫁を探すのが出世の早道だと言った重左衛門の言葉には、金がないなら、という枕詞が隠されていたような気がする。だが、仮にその通りにできたとしても、実力で出世したことにはならない。喜蔵はそういう人任せの人生が厭でならないし、やれるだけやってみて駄目なら仕方がないと思うが、踏み出しの一歩で躓いてしまった。

(やはり金か……)

いや、違うな、と喜蔵は思った。わしの望みはそんなことではない、金がなくとも出世できることを証してみせることだ。身分も家族もないうえに、目的もなく有るか無きかに生きてゆくのは堪えられない。武家に生まれたからには武家として生きた証がほしいと喜蔵は思うが、逆に助八はそういう思いつめた生き方を嫌うほうだった。

「まあ、そう力むな、重い石ほど少しずつ動かすしかあるまい」

彼はそう言って宥めたが、喜蔵のすっきりとしない気持ちは酒で紛らすしかないようだった。助八は重い石を遠目に眺めて暮らすつもりかも知れず、喜蔵はそういう助八を認めながらも、彼と同じように生きるつもりはさらさらなかった。かといって、これからどうするという妙案も浮かばないのだった。彼はその夜、行灯の煙に煤けた座敷で助八にすすめられるまま盃を重ねながら、七両二人扶持のままでは終わるまいと、ただ執拗に当てもなく考えていた。

店の前の通りにはまだ灯が残っていたが、時刻は四ツ（午後十時頃）を過ぎていただろう。人影の見えない表通りを寺町の手前の辻まできて、喜蔵は玉井助八と別れた。

「いやあ、馳走になったな、つぎはわしがおごろう」

「当てにせんで待っとる」

「ひとりで帰れるか」

「なあに、大丈夫だ、早くゆけ」

しかし、助八を見送って歩き出した喜蔵の足はもつれていた。悶々とした気持ちは酒を飲んでも晴れなかったし、その分だけ酒に飲まれたらしい。どうにか片町の組屋敷に着いたときには家々の灯は消えて、門番の小屋から薄明かりが洩れてくるだけだった。

「高村だ、開けてくれ」

喜蔵が声をかけると門番はすぐに出てきたが、眠そうな顔をしかめて、まことに高村さまかと聞き返した。

「この顔を見忘れたか」

「いえ、このところお屋敷を間違える酔人の類が多いものですから」

門番が訝るのも無理はなく、喜蔵はまっすぐに立っていられないほど酔っていた。助八と歩いていたときはまだ気持ちもしっかりとしていたが、ひとりになると急に酔いが回って、組屋敷の塀や生垣にぶつかりながら歩いてきたのである。そのときになり、ふと誰かに見られなかっただろうかと思ったが、いまさらどうでもいいような気もした。それよりも早く家に入って横になりたかった。

家の前まできて玄関の戸を叩くと、しょうぶは起きて待っていたらしく、すぐに灯が灯り、人の来る気配がした。戸が開けられるのと同時に、喜蔵は支えを失って倒れるように中へ入った。

「水、水をくれ」

「旦那さま、しっかりしてくださいまし」

もたれかかってきた喜蔵を上がり框（がまち）に座らせると、しょうぶは戸締まりをして、喜蔵の腰から飛び出している大小を片付けたようだった。それから水を運んできたが、無駄らしいと分かると、仰向けに寝転んでしまった喜蔵の脇の下に手を入れて寝間まで引きずっていった。小柄なわりに案外な力持ちで、喜蔵は肩や頭が柔らかいものに触れているのが心地よく、そのままにさせていた。思いがけず人の温もりを感じて、父母を失ってから忘れかけていたものに触れたような気がしたのである。薄着を通して感じられるしょうぶの胸はまだ固く、それでいて弾力のある果実のように思われた。

「こんなになって、度を過ごされたのです」

敷いていた夜具に主を横たえると、しょうぶはひとりごとを言いながら羽織と足袋（たび）と袴を脱がせたが、それらはあとから自分の寝間で畳むつもりらしかった。彼女は立ってゆくと、じきに水を運んできた。そして掛け蒲団を掛けようとして顔を近付けたとき、喜蔵は思わず声を出した。

「しょうぶ……」

そう名を呼ぶのと同時に、両手を彼女の背中に回して抱き寄せたのである。

どうしようもない人恋しさと欲情が首をもたげて、体の芯が熱くなっていた。どうせもう噂を立てられているのだし、誰も事実無根とは思わないのだと思った。すると少しも逆らわずにいるしょうぶの、あまりに初々しい匂いが、酒では紛れなかった鬱憤を癒してくれるような気がした。

しょうぶは喜蔵の腕の中で身じろぎもしなかった。喜蔵はあとで知ったことだが、奉公が決まって家を出るとき、母親からその覚悟はしておけと言われていたらしい。けれどもややあって、不意に何かに思い当たったように喜蔵から離れようとしてもがいた。頭では分かるものの体が怯えたのだろう。喜蔵が両手に力を込めて、目の前にあるまだ肉の薄い首筋に唇を付けると、驚くほど肌理の細かな肌の匂いが伝わってきた。

「いけません、旦那さま……」

「わしが恐いか」

しょうぶは小さく首を振ったが、少し間を置いてから、恥ずかしい、と蚊の鳴くような声で言った。それから急にしがみついてきたかと思うと手足を震わせていたが、やがて喜蔵が唇を重ねると、体の力が抜けて、また身じろぎもしなくなっていた。

三

そのことがあってからも、しょうぶは陰日向なく働き、喜蔵にとっては妻同然の存在になっていった。噂が事実となって、いっそう世間の口もうるさくなったが、ありもしないことを事実のように言われるよりはよほどましであった。彼はしょうぶに惹かれてゆく自分を認めていたし、しょうぶもまた心から喜蔵に尽くしてくれたのである。

彼女がこまめに世話をする畑には常に何かが芽吹き、あるいは実り、膳を豊かにしたし、身の回りのものは以前よりも整えられて、衣食に奔走するということがなかった。そしてそれは、しょうぶが武家としては底辺の家に育ち、貧しさを苦にしないお蔭だった。

そうして暮らしに張りができると月日の経つのが早く、喜蔵は厭なことを忘れて役目に励むうちに二十八歳になっていた。役目は相変わらず広間番だったが、出世を諦めたわけではなく、むしろ内に秘めて好機を窺(うかが)うようになっていた。すると以前ほどがむしゃらにならない分だけ朋輩との関係もよくなり、周りもよく見えてくるのが不思議だった。そういう喜蔵を上役の小池重左衛門は可もなく不可もなしと見ているようだったが、喜蔵のほうではもう組頭の力を恃(たの)むつもりはなくなり、かわりに自身を恃むところまで人間が一回り大きくなりつつあった。

もっとも、しょうぶと暮らすようになってから、変わったのは喜蔵だけでなく、小さな藩の内情も急速に変わろうとしていた。そのころ藩では財政が窮迫し、その影響は喜蔵たち下士の暮らしにも及んでいた。それ以前に藩は上士から家禄の一割を借上げ、倹約と内職を奨励していたが、ついに微禄の下士からも一割の借上げを実行したのである。

百石が九十石になるのと十石が九石になるのとでは暮らしに響く度合いが違い、それでなくともきゅうきゅうとしている下士たちは青ざめるしかなかった。しかも暮らし向きがそうなら勤めも勤めで、いつか玉井助八が寺社方の経費縮減を嘆いていたように、どの役所でも掛かりを削られ、茶飯(さはん)となった物不足の中で仕事だけが増えるというありさまだった。財政窮乏の原因は長年に及ぶ江戸表の莫大な出費にあると言われ、その付けを国許の家中が身を削って支払うということらしい。

しかも、そんなときに主家の分家にあたる石川頼母(いしかわたのも)から江戸に定府したいので費用を賄えと言ってきたのである。頼母は藩主の叔父で二千石の領地を治めているが、陣屋に暮らしながら奢侈(しゃし)を好む気短な人だった。先代の藩主が分知して独立させたのも、気性が荒く何かと問題を起こしがちな弟を山間(やまあい)の地へ厄介払いするのが目的だったらしい。だが彼はそのことも不満に思っているようだった。

藩ではすぐに断わることを決めて藩主の許可も得たが、問題は誰を使者に立てるかということだった。つい三年前にも同じことがあって、そのときは使者の口上に激怒した頼母が刀を抜いて斬りつけたのである。使者は一命を取り留めたものの、二度と城へ上ることはなかった。

その事件は執政によって秘匿されたが、どこからともなく事実が洩れて家中に伝わっていたうえ、まだ記憶に新しかったから、使者として執政に指名されたものは次々と理由を拵えて辞退してしまい、そうこうするうちに頼母から催促がきて、困り果てた重職たちは改めてこれはというものを五名ほど選んで会議の場に呼び出したのである。

突然に呼びつけられた五人の中には喜蔵もいたが、いずれも剣の達者か武勇が聞こえたもので彼だけが平凡な腕前だった。その顔触れを見たとき、喜蔵は呼ばれたわけを予感したが、自分の何を買われたのかは分からなかった。剣術はそこそこだったから、強いて思い当たることといえば世間の中傷にも平然としている神経の太さかも知れなかった。

訝りながら評定所へゆくと、重職たちが待っていてすぐに用件に入った。もっとも事態はすでに家中に知れ渡っていたので、大目付が通り一遍の説明を終えるや、居並ぶ五人に端から返答を求めるという性急さだった。だが呼ばれたものは、なぜ自分が、と戸惑うほうがさきで、その場で承諾するものはいなかったのである。最初に返答を求められた馬廻組の永尾三十郎が自分の役目ではないことを理由に席を立つと、ひとりまたひとりと去ってゆき、最後に喜蔵の番がきたとき、重職たちは顔を見合わせて溜息をついた。

「これだけの家中がいながら、骨のある男はおらぬようだの」

そう呟いたのは筆頭家老の三野杢右衛門だった。四年前に出世の話があったとき、喜蔵のかわりに大小姓へ昇った三野松之助の父親である。彼は喜蔵へ眼を移すと、すでに諦めたような顔で訊ねた。

「高村と申したな、そのほうはどうだ、取って付けたような言いわけは聞きたくない、やるか、やらぬか、それだけ申せ」

「使者のお役目、ありがたくお引き受けいたします」

喜蔵はそう答えた。すると重職たちはまさかというように顔を見合わせて、それぞれが胸を撫で下ろしたようだった。すかさず喜蔵はもうひとこと付け加えた。

「ただし、危急のおりの加役なれば、お役目を果たした暁には頂戴いたしたきものがございます」

「褒賞(ほうしょう)か、いいだろう」

三野家老は言ってから、同意を求めるように重職たちを見た。

「それで、何が望みだ」

「家禄六十石、馬廻席八両三人扶持を……」

喜蔵は思い切って言った。重責と命の危険を考えれば多いとも少ないとも言えなかったが、果たして財政難の時期だけに家老はいい顔をしなかった。けれども、いまさらほかを当たる余裕もなかったのだろう。

「たしか、いまは十石だったたな、少し欲が過ぎはしまいか」

陰険な眼で凝視した家老へ、

「お言葉ながら、それもこれも生きて戻ったときのことでございますゆえ……」

喜蔵はきっぱりと言った。

「それとも……」

「よかろう、その覚悟があれば馬廻りも勤まる、では早速だが、口上と上意書の中身を伝える」

三野家老は中老の菊池長兵衛に指図してから、明朝には発ってもらうゆえ、しかと覚えろ、と言った。それから、ようやくほっとしたようすで冷めた茶をすすった。

喜蔵は菊池の説明を聞きながら、ついにやったぞ、と熱くなる一方で、執政といってもたいしたことはないな、と思っていた。家老も中老も大目付も、そして黙っている組頭たちも、揃って不甲斐なく見えたのである。

たしかに石川頼母は藩主の叔父だが、どう威張ってみたところで二千石の分家に過ぎない。乱暴な気性を分家の家中が嘆くなら分かるが、本家の執政が畏れるべき相手ではないだろう。それを幾日もかけて使者も決められずにいたのは、彼ら自身が臆病だからとしか思えなかった。

仮に再び使者に刃を向けてきたなら、上意に逆らったとみなして処罰すればいい。その場で藩主の叔父を斬ることはできないまでも、逃げるか殴るかするくらいなら許されるだろう。よくよく運がなければ死ぬことも考えられたが、それは喜蔵にとってようやく訪れた好機であった。

彼が使者を引き受けたことは、その日のうちに家中へ広まり、下城すると組屋敷のものが好奇の眼で迎えた。むろん彼らは喜蔵が執政と交わした密約を知らなかったから、ただ無謀なことをすると思ったに違いない。

「おぬし、正気か」

日暮れ近くなって、あわてて訪ねてきた玉井助八も顔を見るなりそう言った。

「二度も無視されて黙っている御方ではないぞ」

「ま、上がれ、いま支度をしていたところだが、ともかく一杯やろう」

「呑気なことを……」

助八は言ったが、それから家へ上がり、整然と片付けられている座敷や、その隅でしょうぶが喜蔵の旅支度を整えているところを見ると、にわかに顔色を変えたようだった。家の中が驚くほど落ち着いていて、あのときはおぬしたちの覚悟を見たようだと、後年、何かのおりに彼は振り返った。

「それにしても、何もおぬしが……」

「家中として当然のことをするだけだ、ご上意を伝えるのに何を臆することがある、だいいち頼母さまの要求は我儘すぎる、それを許せば、最後はわしらに皺寄せがくるのだ」

「理屈はそうだが、一筋縄でゆく御方ではないぞ、それは分かっておろう」

「むろん分かっている、だがな助八、わしらは本家の家中ぞ、分家に使者を立てるのになぜうろたえねばならん」

「………」

「たまさかわしに使者のお役目が回ってきたというだけで、断わる理由はない、むしろ騒ぎ立てるほうがおかしい、違うか」

だがその言葉には半分の嘘があって、喜蔵は執政と取引したことは言わなかった。引き受け手のない状況から考えて、いずれ褒賞を与えられるのは当然だし、助八もそのことは考えていただろう。世間にも、そのために引き受けたと思われるのは仕方のないことであった。

「しかし、万が一ということもある」

喜蔵が酒をすすめると、助八は小さくうなずいて盃を取った。

「そのときは後のことをよろしく頼む」

「縁起でもない」

助八は盃を干すと、喜蔵に酌をしてから自分の盃も満たした。それから喜蔵の眼を見つめて、分かった、と言った。喜蔵は助八にだけはしょうぶのことを打ち明けておこうかと思ったが、思うだけでなかなか切り出せなかった。するうち助八のほうから、よさそうな女子ではないかと言うので、家のことはすべて任せている、とだけ話した。それで助八が分かったかどうか、彼は後のことは引き受けよう、と言った。

「しかし、本当にこれきりというのは願い下げだぞ」

二人で銚子一本を空けて、助八はおとなしく帰っていった。組屋敷の木戸まで見送りに出たしょうぶへ、今夜は何か精のつくものを食べさせてやってくれ、助八はそう言ったそうである。戻ってきたしょうぶは少し青ざめていて、ただの使者ではないのですねと質した。

「分家の石川さまへ上意書を届ける」

それだけのことだと喜蔵は答えたが、二人の話が聞こえていたらしく、しょうぶは彼の言葉を信じてはいないようすだった。

明くる朝、食事を終えて喜蔵の身支度を手伝いながら、彼女は「お供いたしたいと存じますが、いけませんでしょうか」と言い出した。分家の領地である深山郡は城下から半日の距離にあり、何事もなければ夜半までには帰ってこられる。しょうぶは何かあったときのために、喜蔵から離れてついてゆき、お屋敷の外で待っていたいと言った。

「それはできぬ、そなたらしくもないぞ」

喜蔵は言下にはねつけた。しょうぶの気持ちは嬉しかったが、使者が女子連れでは世間の笑い物になる。そのことだけでも石川頼母は腹を立てるかも知れず、また本家に言いがかりをつけるようなことになれば使者の役目を果たしたことにはならない。そういうことを考えずに、しょうぶは女子の感情で言っているのだった。

喜蔵に断わられて、しょうぶは落胆したものの、出立が迫ると、さきほどは分をわきまえずに差し出がましいことをしたと言って唇を噛んだ。

「いや、ありがたく思っている」

そう案ずるな、と喜蔵は立っているしょうぶの肩に両手を置いた。男の気休めに女は胸をつぶしながら、うなずくしかなかったらしい。彼らはしばらく無言のまま向かい合っていた。

外へ出ると冬の朝はまだ薄暗く冷えていたが、人影はなく、喜蔵はしょうぶと二人で組屋敷の木戸を出た。では行ってくる、という喜蔵へ、しょうぶはお帰りをお待ちしておりますと言い、持っていた黒い塗笠を差し出した。喜蔵はそれをつけて、人気のない道を歩き出した。旅装に身を包んでいても肌寒い朝で、道には霜柱が見えて、ときおり足下でざくざくと音を立てた。

となりの徒士組の屋敷を過ぎて辻に出たところで振り返ると、木戸の前にまだ人が立っているのが見えて、帰れ、と喜蔵は片手を上げた。すると何を勘違いしたのか、しょうぶは激しく手を振ってきた。喜蔵はしようもなくさっと辻を折れたが、あとから思うと、それはしょうぶがはじめて見せた妻の仕草であったように思われた。

四

（それにしても若かったな……）

握り飯を食べおわると、喜蔵は土手を下りて川で手を洗った。川の水は冷たいが手が切れるほどではなく、むしろ手拭いで拭いたあとのほうが痺れるように感じられて、それだけ風が冷えているのだった。彼はまた同じ場所へ戻ると、ひとりではあそこまでできなかっただろうと思った。

（あのときは、しょうぶがいたから……）

知らず識らず心の頼りにして、気が大きくなっていたのである。家を出てから深山郡までの道中、彼は重責に押しつぶされることもなければ孤独を感じることもなかった。それどころか、もう役目を果たして悠然と帰る姿を思い浮かべていた。

当時の喜蔵は二十八の若さで、ただ若いというだけで、自分の力だけで歩いているように錯覚していたのである。実際にはそれほど気丈なわけではなく、自分で自分のことをそう思い込んでいたに過ぎなかった。

その日、深山郡の陣屋へ着いて石川頼母に会うまで、彼は自分を信じ、いいように自惚れていた。何事が起きてもあわてることはない、使者といえば藩主の名代ではないか。その自信はしかし、頼母の前に出て使者の口上を述べたところで、呆気なく打ち砕かれてしまった。

要求をはねつけられて激怒した頼母は、それが今日まで待たせた挙げ句の返答か、と罵った。上気した顔は赤黒くなって、きつく握りしめた拳が震えていた。彼は唇を歪めてぬっと立ち上がると、あろうことか喜蔵に向けて唾を吐き、次の瞬間には脇差を抜いて猛然と斬り付けてきたのである。咄嗟に喜蔵は飛び退いたが、尻餅をつく恰好になり、同席していた分家の家老が頼母に組みついて止めなければ斬られるところだった。しかも腰が抜けてしまい、下がれ、と家老が叫んでいるにもかかわらず、身じろぎもできなかったのである。

そのとき次の間に控えていた数人の近習が飛び出してきて、頼母を押さえ、喜蔵は両脇を抱えられて外へ引きずり出された。頼母を諫めるどころか、自分の身すら守れなかったことに彼は茫然としていた。

　騒ぎのあと、喜蔵は家老の杉本記兵衛に呼ばれて、頼母の乱心はなかったことにしてくれと言われた。杉本は乱心と言ったが、頼母のそれは気短な気性の表われで、だからこそ杉本も備えられたはずであった。だが喜蔵は命を助けてもらった義理もあって、いやとは言えなかった。帰ってありのままに事件を報告すれば、褒賞どころか失態を咎められるだろう。そのことに杉本は触れなかったが、むろん承知の上で取引をしようと言っているのだった。事件が公になれば頼母も彼の家臣もただではすまない。

　結局、彼らはお互いの弱みを相殺した。杉本はさらに賂を使って喜蔵の口を塞ぐという用心深さで、喜蔵はそれも拒めなかった。受け取らなければ杉本は喜蔵を帰さなかっただろうし、受け取ったことで彼と談合した事実が変わるわけでもなかった。金は形ばかりの一両であった。

　陣屋を出て城へ帰る途中、喜蔵は通りがかりの村で飯を食い、草鞋を替えて、その一両を百姓にくれてしまった。家に着くまでに自分を取り戻さなければならなかったし、それには使者の役目を果たしたと思うしかなかった。口上は違えずに述べたし、上意書も渡した。こんなことで潰れてしまうわけにはいかない、と思った。

　夜半を過ぎて城下へ入ったときには、町はもう眠りの底に落ち着いていて、暗い道にはうっすらと雪が残っていた。雪はまださらさらとして、いまし方降ったばかりのように見えたが、踏み付ければ消えてしまいそうな薄雪であった。深山郡でも途中の村でもまったく降らなかったので、喜蔵は何か縁起めいたものを感じた。ここですっぱりと気持ちを切り替えろということかも知れない、彼は自分にそう言い聞かせながら、あと少しの道のりを歩いていった。

組屋敷に着くと、果たして我が家から灯が洩れていて、しょうぶが待っているらしかった。門番にかけた声が聞こえたのか、木戸をくぐると同時に家の前に明かりが広がり、喜蔵は小走りに駆け出していた。

「お帰りなさいまし、ご無事で何よりでございます」

しょうぶは上がり口に正座していたが、心の底から案じていたのだろう、喜蔵が表戸を閉めると立ち上がって飛びついてきた。冷えた体から仄(ほの)かに肌の香りが立って、喜蔵はふっと引きずってきた自己嫌悪から解放された気がした。こうして無事に帰れただけでも上出来ではないか。彼はしょうぶを抱きしめながら、上首尾だ、と言った。

家に上がり、しょうぶが用意していた酒を飲むうち、疲れが失せて、本当にそんな気がした。しょうぶは落ち着くと女中のしょうぶに戻り、へりくだった態度で主の功績を讃えた。生まれは武家の端くれであるから、喜蔵を誇りに思うのかも知れない。その言葉に支えられて、彼は喪失した自信を取り戻していった。

ささやかな祝いのときが過ぎると、彼らは灯を消した闇の中で、お互いの存在の大きさを思いながら安堵の眠りについたが、喜蔵は妙に眼が冴えてしまい、しばらくは暗い天井を見つめていた。

（しょうぶがいてくれてよかった……）

彼は思ったが、一方でしょうぶの存在が大きくなりすぎたことに漠然とした不安を覚えていた。そのくせ同じ闇を分け合っている彼女の気配を感じると、落ち着きをなくして立っていった。

襖を開けると、彼は暗闇に情の籠る眼を向けて名を呼ぶ。しょうぶは気付いていながら答えない。やがて眼と眼が合うとき、喜蔵は彼女の眼の清らかな光にうろたえながら、意を決して見つめなければならない。二人は一日のどのときよりも感情をあらわにし、思いのたけを確かめてゆく。するうち暗闇が暗闇でなくなり、かわりに情念の闇に溺れてゆくようであった。

翌朝、城へ上ると、喜蔵はすでに登城していた家老の三野杢右衛門に会って、杉本と約束した通りに報告した。三野家老は上首尾を喜び、これで当分は頼母に悩まされずにすむだろうと本音を洩らした。皮肉なことに喜蔵が事実を偽ることで、杉本も三野も安堵したのである。何も起こらないことが、彼らにとっては何よりの出来事であるらしかった。

喜蔵が使者の役目を果たし、無事に帰還したことは、じきに家中の間で評判となり、使者を辞退したものが肩身の狭い思いをする結果となった。たった一日で高村喜蔵の名は知れ渡り、やがて江戸にいる藩主の耳へも届くと、彼はもう自分の功績を疑うわけにはいかなくなって、自身の中でも虚実が入れ替わってしまうほどであった。

上役の小池重左衛門は我がことのように鼻を高くしたし、朋輩も羨んでいたから、それまでしょうぶのことで陰口をきいていた組屋敷の人々も笑顔で接した。玉井助八も同様であった。

年が明けて間もなく、喜蔵は約束の褒賞を手にした。馬廻席に昇り、家禄も十石から一気に六十石となった。形の上では自身の知行地を持つ給人(きゅうにん)に身分が変わり、曾根町(そねまち)に小さな屋敷を与えられて、二十八年を暮らした粗末な家から解放されたのである。

(ようやく、お別れだな……)

組屋敷を出るとき、彼はある感慨を抱いて振り返ったが、そこに見えるのは果てしなく続くであろう貧しさと、平凡な暮らしに甘んじて生きる人々の姿だった。喜蔵は息苦しい同類の群れから抜け出て、少しでも価値のある人生を歩もうとしていた。そのために踏み出した一歩が汚れているとしても、踏み出してしまったからには、それはそれとして仮借(かしやく)しないことには永遠の挫折を意味した。

曾根町の屋敷には畑にするほどの広い庭はなかったが、かわりに式台のある玄関と五間の座敷があり、彼はその一室をしょうぶに与えた。身分にふさわしい武具を揃え、しょうぶのほかに下僕もひとり雇った。家のことはひとりでも十分に間に合う、としょうぶは言ったが、それまでのように世間の目を無視するわけにはゆかなくなったのである。身分が変わったことで喜蔵は慎重になり、世間体を気にするようになった。二つある床の間にはそれぞれに掛軸が飾られた。

「花は何を活(い)けましょうか」

「梅がいい」

喜蔵が好みを言うと、しょうぶはその通りにした。我流で作法も分からないと言いながら、活けてみるとすっきりとして、見る人の心を摑むような出来映えだった。しかも何を活けさせても見事に拵えるので、あるときこつを訊ねると、

「花のほうが教えてくれます、わたくしの無作法を見抜いているのですわ」

しょうぶはそんなことを言った。二十歳の女子にしては口数が少なく、着るものも地味なままだったが、喜蔵は彼女といるとやはり心を慰められた。家が広くなった分だけしょうぶの姿を見かけなくなると、気になって彼のほうから探すことすらあった。

「お呼びでございましたか、申しわけございません」

しょうぶは台所で煮炊きをしていることもあれば、庭の隅に拵えた小さな畑の世話をしていることもあった。いつの間にか拵えた畑には、やはりいつの間にか大根や葱が芽を出していた。

「そんなことは市平（いちへい）に任せて、そなたは家の中を見ていればいい」

そのために雇った下僕だと喜蔵が眉を寄せても、

「お言葉ですが、ここもお家の内でございますから……」

彼女は、うつむいて許しを待つというふうだった。六十石といっても内実は前よりいくらか裕福というだけで、畑に水を撒くのも草をむしるのも家の遣り繰りには違いなく、手を抜いたり何かを無駄にしたりということができない女子だった。そういう気性のうえに曖昧な立場にいたから、いっそう屋敷を我が家のように思うのだろう。とうに婚期を過ぎて奉公を続ける女子に帰る家はもうないようなもので、喜蔵は彼女の醇朴さを利用しているだけかも知れなかった。嫁を取

らず、かといってしょうぶを妻にすることも手放すこともできないのは、彼の我儘であった。

屋敷を得ると来客も増えて、しょうぶは忙しく働いた。客の多くは喜蔵に縁談を運ぶ人であったが、彼らの眼にしょうぶはただの女中としか映らなかったらしい。彼女はそれらしい素振りをちらりとも見せなかったし、普段の仕草から男との関りが匂うような女子でもなかった。喜蔵は喜蔵で縁談を断わるのに必死だったから、どうにか客を帰すと、またしょうぶとの暮らしが続くことにほっとして力が抜けた。しょうぶと男女の関係にある間は、ほかの女子との結婚は論外であった。

ところが、その年の秋になって馬廻組の組頭から直々に縁談が持ち込まれると、どうにも断わることができなくなったのである。相手は町奉行の中西盛十郎（なかにしせいじゅうろう）の次女で、ともといい、器量も気立てもよく、いまどき持参金も十分ということであった。相手に不足はないどころか、喜蔵にとってはまたとない良縁だったが、何よりも組頭の顔を潰すわけにはいかなかった。逡巡（しゅんじゅん）したものの一月後には結婚を承諾し、翌春には祝言を挙げることに決まると、彼はしょうぶに打ち明けて、このまま奉公を続けるもよし、妾として町屋に暮らすのもよし、と告げた。いずれにしても後々まで面倒をみるつもりだったが、それも喜蔵の都合でしかなかったろう。

「おめでとうございます」

しょうぶは平伏し、さわやかな笑顔を上げた。

「お美しい御方だと聞きました」

「なあに、仲人は誰でもそう言う」

「勝手ながら、ご祝言の前にお暇をいただきとうございます」

彼女は身じろぎもせずに、きっぱりとそう言った。お許しが出たなら、いったん故郷の新宿村へ帰るという。兄嫁が病弱で人手がいるというのは見え透いた嘘だったが、強い意志と落ち着き払った姿に圧倒されて喜蔵は黙るしかなかった。

その後も何ひとつ変わらない暮らしを続けながら、いつか変わる日の虚しさに思い当たると、彼らはどちらからともなく肌を合わせた。男には遠からず失うものへの未練があったし、女には燃え尽きかねた焦燥があったかも知れない。口にする言葉はどうあれ、どちらにも近付いてくる別れのときを見つめるゆとりはなかった。肌を合わせながら、彼らは安らぎと揺らぎを同時に味わい、あとにはこの世にいないような顔が二つ残った。

「どうしてかな」

喜蔵は吐き出すように言った。

「わしには堪えられそうにない、それなのに何もできない」

「ときとともに忘れられることもあります」

「しょうぶは強いな」

「いいえ、変われないだけです」

彼女はそう言ったが、喜蔵よりも遥かに気持ちはしっかりとしていた。貧しい足軽の家に生まれ、幼いときから思うようにならないほうが当たり前の境遇に生きてきたから、自力で立ち直る術を知っているのだろう。喜蔵が味わってきた貧しさとは比較にならない生い立ちが、彼女を強くしたようであった。

「わしが新宿村へゆこうか」

「いいえ、それは……」

口籠ったあとで、しょうぶはそれとなく断わりを言った。

「お泊まりになれるようなところではありませんし、父も兄もお出迎えのしようがございません、いまごろは寒いだけでしょうし……」

冬が過ぎて年が明けると、しょうぶは喜蔵の寝間から遠ざかり、徐々に心の支度をはじめたようであった。どうにもならないものなら、少しでも苦しみを減らすしかなかったのだろう。別れの日はすぐそこであった。

暖かくなった春の一日、彼女は市平を連れて伊勢町のふるもの屋へ出かけた。喜蔵はあとで知ったことだが、身の回りのものを処分したのだった。主から借りている形の道具類はそのままにして、六年の奉公の間に増えた着物や帯の類を金に替えたらしい。そのくせ喜蔵が用意した餞別は受け取らなかった。

あれは祝言の四、五日前だったろうか、いつもの時刻に城から戻ると、門前に市平が待っていて、まっすぐに垂らした両腕のさきに拳を握りしめていた。その思いつめた顔を見たとき、喜蔵は厭な予感がしたが、果たしてしょうぶはいなくなっていた。お世話になりました、とひとこと市平に別れの言葉を託して出ていったのである。家に入り、がらんとした座敷で、市平からそのときのようすを聞きながら、喜蔵は途方に暮れる思いだった。

その朝、彼が出仕して間もなく、しょうぶは身支度をして出ていったという。旦那さまにはお許しをいただいていることだから、あとのことは心配しなくともよい。それよりも心からお仕えするようにと、まだ若かった市平に言い、屋敷の門を出ると、見送りもいらないと言って、ひとりで町屋の方角へ去っていった。

顔を見れば、お互いにつらくなる。言葉が尽きれば、どちらかが涙を流すことになるだろう。女の心遣いは分かるものの、あまりに唐突で味気ない別れだった。その日からともを迎えるまでの間、喜蔵は何をして暮らしたのか覚えていない。うららかな春の日差しを浴びながら城へ上り、城から戻るときも、いまごろしょうぶはどうしているだろうかと思った。分かり切っていたことだが、失ったものの重さが胸にこたえた。

(仕方がない……)

最後にはそう思うしかなかった。身に余る祝言を待つ男が、そのために捨てた女のことを思ってみてもはじまらない。

だが、そうと分かっていながら、恨み言ひとつ言わずに去っていった女がいじらしく思われてならなかった。夜がきて、ひとりの寝床から天井を見るとき、喜蔵はどこかで同じようにして孤独を見つめているであろう女を思い浮かべていた。

五

中西とももとの祝言は、財政窮乏という時節がら質素なものとなった。倹約を奨励する側の町奉行が、次女の祝言を華々しく行なうわけにもゆかなかったのだろう。予めそう釘を刺されて、喜蔵はむしろほっとしたが、人生の節目のときに失意の淵に溺れていた。式のあとにささやかな宴があって、人々に祝福されながら、彼の心はそこになかった。

けれども、しょうぶが言ったように、やがてときが苦痛を和らげてくれたのである。ひとつには、ともの存在が大きかった。

ともは聞いていたような佳人ではなかったが、見るからに明るい女だった。丸顔で眼の優しい表情も、小太りな体できびきび動くさまも、普段は低い声にもかかわらず笑うと高くなる声も、それまで沈んでいた家によく馴染んだ。彼女がいるだけで座敷は陽が射したようになって、その明るさはいつしか市平や喜蔵の顔にも映るようになった。

ときおり気忙しく思うときがないではないが、ともの作る家庭には安らぎがあり、これといって不足はなかった。実家の家格を鼻にかけるでもなく、これからは夫とともに彼女自身の家を作ろうという気持ちが陽気な雰囲気からも伝わってくる。彼女はよく笑い、どこにいても聞こえてくるその声が喜蔵の心の慰めになった。

彼はしょうぶのことを忘れたわけではなかったが、ともが来て月日が経つうちに、少なくとも孤独からは解放されていった。彼女のお蔭で日常の些細なことに笑えるようにもなったし、それとなく心の琴線(きんせん)に触れ合う話もできた。ともはしょうぶのことを知らなかったが、三十になるまで妻を迎えなかった男の内側にあるものは何となく察していたようである。じわじわと浸(し)みてくる妻の心根に、喜蔵も応えなければならなかった。

二年後に子が生まれ、否応なく家庭というものが固まると、彼は妻子を第一に考えるようになった。町奉行の縁戚となったことでさらに家中の目が集まり、軽はずみなことはできなくなったが、使者の件以来、藩主の覚えがめでたいせいか、知らぬ間に一目置かれる人間となっていたのである。

「そなたほどの器量なら、よい嫁を探すのが出世の早道かも知れまい」

喜蔵はかつて上役の小池重左衛門に言われたことを思い出したが、皮肉なことに、そうなりそうな成りゆきであった。当て擦(こす)りで言ったであろう小池を追い抜いたことで、彼はひとつの目標を越えた自分を感じた。もっとも、まだどこかに貧乏神がうろついているような気がして、これからだという気持ちも強く残っていたが、何かに追い立てられるような緊迫した思いは薄れていた。

あとは地道に勤めながら、せいぜいもうひとつ上へ昇る機会を待とう。いつしか心の支柱となったともと、彼女との暮らしを与えてくれたしょうぶのことを考えるとき、彼は本当にそう思い、それからはむしろ目立たぬように暮らした。

そうして十年が無事に過ぎ、その間、彼は幾度か幕府代官への使者を務めたが、ほかにはこれといって際立つ働きはなかった。しかし藩主の恩顧が厚く、彼の知らないところで高村喜蔵の名は重く扱われていたらしい。さらに二年後の四十二歳のときに、藩主が領国の東海岸を見分することになり、これに供奉すると、間もなく彼はいきなり大目付に任ぜられた。まだ町奉行だったともの父親を一気に追い抜く昇進で、中西盛十郎はたいそう喜んでくれたが、微塵たりとも浮かれてはならない、とも忠告した。

そのころ、藩では領国の近海に異国船が姿を現わすために、幕府から非常時の出兵を命じられていたが、実際にそうなったときの備えというものは何もなく、大目付が出兵のときの出役を兼ねると決まっているだけであった。そのことを案じた藩主が自ら視察を計画し、喜蔵を供として選んだのである。あわてた執政は財政難を理由に防備のすすまぬことを訴え、視察には警固のものをつけたが、藩主の信頼を著しく裏切る結果となった。

藩主のお声掛かりで大目付となった喜蔵は海防に関する実権を与えられたものの、一方では成り上がりものとして重職や上士の怨嗟の的となった。義父の中西盛十郎が案じたのもそういうことで、旧態依然とした執政府にも暮らしに追われる家中の間にも海防推進の気運は生まれなかった。そんな金があるならまず借上げをやめろというのが、下士たちの本音ではなかったろうか。

だが、それでは当座の暮らしがいくらかましになるだけで、幕府の命を蔑ろにすれば藩そのものが危ない。藩が成り立たなければ家中の暮らしも変えようがない。喜蔵は常にいざというときを念頭に置いて海岸の防備をすすめた。

財政難といっても金はあるところにはあって、執政と掛け合うと要求の五割方は出てくる。不足分は豪商から集めて、ともかくも防備を急ぐというふうだった。それが認められて四十五歳のときに用人へすすみ、百石を与えられたとき、彼はようやく自力で立った気がした。けれども充足は思っていたよりも遥かに小さく、その裏側では自責の念にかられた。出世すればするほど、犠牲にしたものが思い出されて、しょうぶはどうしているだろうかと思った。

その数年前に、彼は一度、密かに市平を新宿村へ使いにやったが、しょうぶはとうに実家を出ていて消息は知れぬままであった。しょうぶが口止めしたのか、当主の実兄も知らぬという。大目付として問いつめるのは気がすすまなかった。

「これでまた焼き餅を焼かれますね」

目覚ましい働きをしながら満ち足りないようすの夫に、ともはそう言った。あまりに順調にゆきすぎて、いつかは足をすくわれるのではないかという不安があったらしい。陽気な彼女にしては珍しく、溜息をつくような言い方だった。

「これから、わたくしたちはどうなるのでしょう」

「どうもこうもない、明日は何を食べるかと案ずることのない日が続くだけだ」

喜蔵は愛想のない口調で答えた。それが、しょうぶを捨てたかわりに、十五年もかけて手に入れたものであった。

物頭(ものがしら)の家に生まれたともは下士の貧しさを知らず、朝夕の空腹とひもじさの違いが分からない。彼女の罪ではないが、実感として分からないことが喜蔵は不満だった。大目付に昇ったときに与えられた二ノ町の屋敷には広大な庭があったが、そこに畑が作られることはなく、かわりに米が貯えられた。

それこそ異国が攻めてきたら、大根の葉で飢えを凌ぐときが来ないとは限らない。あるとき喜蔵が言うと、

「畑だけが無事ということもありませんでしょう」

という返事だった。ともの明るさの陰には育ちのよさと無知、素直さと思い上がりが表裏をなして隠れているようだった。悪気はないとはいえ、夫が手に入れたものの値打ちが分からない。彼女にとって、生まれてから死ぬときまで米の飯を食べるのは当然のことであった。

その年、喜蔵は藩主の参勤にともない江戸詰となり、一年後に帰国すると、ともは病を得て床に臥せっていた。顔色はよいのに、医者は心の臓が悪いという。意外なことに、心労が原因だろうということだった。

「大丈夫ですわ、ご心配いただくほどのことはございませんから」

喜蔵はともという女が分からなくなった。飯の心配はしないが、夫の立身出世が心配になる。

上士の世界にこそ綺麗事ではすまない軋轢があって、案じているのは人の妬みや陰口だろうかとも思うが、夫の出世を喜ばぬ妻がどこにいるだろう。

「お留守の間に伊織と畑を作りました、あとでご覧になってくださいまし」

枕頭の喜蔵を見上げて、ともは屈託もなさそうに笑った。けれども、わざわざ人目に付かないように、陽の当たらない物陰に作られた畑は形ばかりのもので、何も植えられていなかったのである。畑には意味がなく、ただ喜蔵を喜ばすために拵えたのだった。息子の伊織は十四歳になっていて、一年の間に体付きはたくましくなっていたが、中身は母の子であった。気むずかしい年頃のせいか、喜蔵が話しかけると、そつなく答えるものの、心のこもらない話し方をした。

「母上をもう少し大切にしてあげてください」

彼の何気ないひとことに、喜蔵は子との間にも隔たりを感じた。一年振りに帰った家に期待した安らぎはなく、家の中は役に立たない畑のように色褪せて見えた。お互いに愛情がないはずがないのに、理性に片寄った父子だった。そのくせ言葉は荒くなった。

「生意気を言うな」

すると、子は父を凝視して反発した。憎しみに燃えるような眼差しを、どうして我が子から向けられなければならないのか喜蔵には分からない。ぬるま湯に浸かって育つと、こうも父親の苦労が分からなくなるものだろうか。思い当たるといえば、そんなことであった。子の心を占める母親への情の強さに喜蔵はうろたえたが、それから間もなく起きた事件に翻弄されて家族のことから心は離れてゆくばかりだった。このままではいけないと思いながら、役目に追われて溝を修復する暇もなかったのである。

その飛報が届いたのは六月も終わりかけた夜のことで、家老の三野杢右衛門から屋敷に使いがあって急ぎ登城すると、分家の石川頼母が義兄の小幡専十郎を斬ったということであった。小幡は頼母の奥方の兄で、一千石を取る幕臣である。彼は頼母の還暦を祝うために江戸から訪ねてきたばかりだったが、陣屋に着く早々口論となり、頼母のほうから斬り付けたという。小幡は即死だった。

城へ上るなり、待ち構えていた小姓頭に事件の説明を受けると、喜蔵はすぐに評定の場へ向かった。

（六十一にもなって、我慢を知らぬにもほどがある……）

込み上げてくる怒りに震える一方で、彼はむかし頼母に斬り付けられたことを思い出してぞっとしたが、同時に、その日分家の家老と姑息な取引をした自分も思い出していた。

急ぎ足に歩いてゆくと、果たして広間から激しい評定の声が聞こえてきた。ひときわ高い声の主は三野家老のようであった。評定の間に集まっている重職たちの顔ぶれを見たとき、喜蔵はそこへ加わることにある種の感慨を覚えたが、次の瞬間には、この連中に何が決められるだろうかとも思った。三野家老を除き、集まっているのは執政とは名ばかりで保身に凝り固まった老臣たちであった。そのことは大目付として海防に奔走したときから身に沁みて分かっていた。

「頼母さまはご乱心、小幡どのは浅手にてのちに病死としてはどうか、小幡家とは江戸の留守居役を通じて話をつける」

そう言ったのは三野家老で、若いころの名を松之助といった二代目の三野杢右衛門である。彼は先代から家督を継いで間もなく大小姓頭となり、三十代で中老へ昇ると執政として台頭し、いまは筆頭家老にまで昇りつめていた。喜蔵はそのむかし、まだ松之助といった三野家老と大小姓への昇進を争ったことを思い出しながら、彼の斜め向かいに空いていた席に腰を下ろした。そのとき反論の口火を切ったのは、菊池長兵衛といって元の中老である。

「しかし、そのような小細工に幕府が騙されるとは思えん、ここは事実を報告し、幕府の沙汰を待つべきでござろう」

菊池は十数年をかけて中老から家老へ昇ったものの、若い三野に筆頭の座を奪われたまま次席に甘んじてきた。そのため三野が会議で白と言えば黒、黒と言えば白と言うのが常で、本当の争点は彼の私心にあると言われている。権力に執着するだけあって衰えたようすはないが、もう六十を過ぎている。その菊池を凝視してから、三野家老は素早く切り返した。

「それでは評定の意味がござらぬ、正直に報告して許されるものなら端からそうしておる」

「分家のために本家まで潰すようなことになれば、それこそ取り返しのつかぬことになりましょう」

「なれば、尋常な手では心許ないと申しておるのが、お分かりにならぬか」

しかし、虚偽の報告をすべきだと主張する三野家老にも、反対する菊池家老にも決め手がなく、評定は一進一退を繰り返して深夜まで続いた。それぞれの案に賛同するものも似たような数で、家老二人を除けば重責から逃れたいというのが本音ではなかったろうか。

喜蔵はそのどちらの案も生温いと感じていたが、敢えて黙っていた。藩主の信頼は厚いものの、三野家老をはじめ重職たちには軽んじられている。評定に呼ばれたのも、あとで文句を言わせないためだろうと思った。

ただし、このままどちらかの案に決まるようなら、ひとこと言わずにはおくまい、と彼は覚悟していた。そして、そのときは評定がはじまってから三刻ほど後にやってきたのである。

「仕方がない、御意（ぎょい）を仰ごう」

評定の間に沈黙が訪れ、しばらく逡巡していた三野が藩主の臨席をもとめると、これには菊池も無言でうなずいた。重職たちの顔にはすでに疲れが見えていて、その前に一服しよう、という声にも反対するものはいなかった。

「高村……」

三野に眼で指図された喜蔵は、立っていって次の間に控えていた小姓頭へ、筆頭家老の意向を伝えた。すると藩主は起きていたのだろう、彼らが茶を一服するが早いか評定の間へ姿を現わした。その疲れ果てた顔を見たとき、喜蔵は藩主がことのほか事態の重さに腐心していること、そして執政を信頼していないことを改めて感じた。用人として仕えるうちに藩主のまっすぐな気性も分かっていたから、このままでは済むまいと思った。

「では、これまでの経過を申し上げます」

まず三野が持論を言い、続いて菊池が反論する形で意見を述べた。もっとも、いずれに決まっても上意となるわけで、二人とも責めを負うことのないところへ持ち込んだわけである。だが、藩主の口から返ってきたのは意外な言葉だった。

「その前に高村の考えを聞きたい」

彼はそう言った。

「危急存亡のときだ、遠慮なく申せ」

それまで無視していた喜蔵に重職たちの眼が集まったのは、藩主が名指ししたこともあるが、成り上がりの用人が何を言い出すかという懸念からであった。おそらくは、そのときになって喜蔵の意見を聞かなかったことを悔いたに違いない。

「では、申し上げます」

と喜蔵は静かに話しはじめた。

「幕府にどのように報告したところで、頼母さまが無事に済むとは思われません、従って頼母さまには即刻ご自裁いただき、二千石は幕府に返上、その上でご沙汰を待つのが賢明かと存ずる、虚偽の報告をして幕府の怒りを買えば御家の命取り、また有り体に報告するだけでも無事という保証はございません」

「頼母さまは御上の叔父上にあらせられるぞ」

すかさず三野家老が口を挟んだが、喜蔵はかまわずに続けた。

「なれど、頼母さまおひとりのために家中二百家とその家族の暮らしまで脅かすわけにはまいりません」

「二千石を返上して無事という保証もあるまい、それよりはこの機に分家を潰して旧に復すべきではないか」

「お言葉ながら、御家そのものが生き残るか滅びるかというときに、分家の死活を云々するゆとりは一切ないものと心得ます、二千石にこだわり、すべてを失うようでは元も子もございません、御上のためにも、そうならぬように働くのが執政の務めかと存ずる」

「口が過ぎるぞ、高村」

三野家老の怒声に、喜蔵は申しわけ程度に礼をしたのみであった。菊池長兵衛も憮然としている。喜蔵は孤立したらしかったが、三野をはじめ執政をたしなめる藩主の声が聞こえてきたのは、そのすぐあとであった。

六

いつの間にか薄らいだ冬の陽に気付いて川面から眼を上げると、日は川向こうの上空に白く霞んでいた。いつもならゆっくりと寺町の茶店で一服し、とっくに家に帰り着いているころであったが、長い物思いに耽っていたらしい。喜蔵はあわてて腰を上げようとして急ぐ用事のないことに気付くと、空の魚籠に握り飯を包んでいた竹の皮を戻して、改めて立ち上がった。それから、もう一度静かな川の流れに眼を移した。

結局、あの評定での発言が御家を守り、その後の喜蔵の運命をも変えたが、あれは御家のことを思う気持ちだけで言ったことではなかったと喜蔵は思っている。石川頼母を自刃させたのは幕府の追及から本家を守るためだが、そのどこかに私情も絡んでいたような気がする。頼母のために、使者として犯した過ちと失態を消し去るため、さらには三野家老を執政の座から引きずり落とすためではなかったろうか。そういう怨望のようなものがなかったとは言えない。貧しさから抜け出すために歩きはじめた道であるのに、道の終わりにきて姑息な生き方をしてきたように思われるのは皮肉だった。

事件後の執政交代から隠居するまでの約六年、喜蔵は役目に忙殺されて家のことどころではなかった。ともがじきに床を上げたこともあり、家政についてはさほど案ずることもないと思っていた。それよりも藩主の期待に応え、少しでも国を豊かにしなければならなかった。

しかし、結果は豪商からの借財を増やしただけで、六年では大きく傾いていた財政も家中の貧しい暮らし向きも変えようがなかったのである。彼は思い切って江戸表の出費を縮小し、国許では殖産と海産物の移出を奨励したが、それも抜本的な財政再建にはつながらなかった。ただひとつ、藩の事業として城下に薬園を開き、薬草を栽培しはじめたことだけが、いまも熱心に続けられていて、それが功績といえば功績だった。

その間、執政の座を追われた三野杢右衛門や菊池長兵衛らの陰湿な反撃にあい、家中の心を財政再建に向けてひとつにまとめることすらできなかった。とりわけ上士の眼には成り上がりものを見る冷たさが感じられて、あからさまに出自を卑しまれもした。それでもすべきことはして、踏ん張れるだけ踏ん張った挙げ句の退身だったが、そのときにはもう誰のために何をしてきたのかも分からなくなっていた。

そうしてあとに残ったのは一ノ町の屋敷と高禄、そして気持ちの通わない家族だけであった。息子の伊織は貧しさを知らずに育ち、それがよかったのかどうか、父親の苦悩を他人事のように覚めた眼で見ている。ともは明るい気性のままであったが、それまで人生を楽しんできたわけではなく、むしろ夫の進退を案じて暮らしてきた。彼女の明るさに喜蔵は幾度となく救われたが、こちらが彼女の心を救ったことはなかったように思う。隠居してようやくともの明るさの裏にある深い優しさが見えてきたとき、彼女は呆気なく死んでしまった。

「母上は心労で死んだようなものです」

息子に恨まれても仕方のない、唐突な終わり方だった。喜蔵はすぐに伊織に嫁を迎えて家督を譲り、ひとりそろそろとどこかへ歩き出そうとしたが、一度、望んだ道を歩き切ってしまったあとのことで新たに見えてくるものは少なかった。以来、気晴らしに散歩を続けているにすぎない。

要するに、しょうぶとともの二人に支えられて生きてきたのである。運はあったが、人並み優れた才覚などなかった。それなのに自分ひとりの栄華を極めようとして二人を巻き込んでしまった。後悔が、歳月という取り返しのつかない流れに行き着くと、彼は歩く気力を失い、茫然とするしかなかった。

（あとは黙って老いるだけか……）

それもつまらん、と思うが、何をどうすればよいのか見当もつかない。求めたものはこんなものではなかったと思いながら、彼は川面から眼を戻して、ゆっくりと来た道を引き返した。あたりは陽が薄らいだわりに明るく見えていたが、寒さは容赦なく肌に沁みてくる。物寂しいひとりの野路を、彼はしょぼくれて歩きながら、しょぼくれた嚔（くしゃみ）をした。

やがて道は来るときに見た疎林をかすめて足軽の家が並ぶ一画へさしかかり、背後の林からは何かしら澄んだ鳥の囀りが聞こえてきた。門のない粗末な家々は低い生垣に囲まれていたり、それすらない家は無造作に竹竿をめぐらしていたり、どの家も道からは丸見えであった。

何軒目かの家の前を通りかけたとき、喜蔵は何か場違いなものが眼の隅に飛び込んできたのを感じて、ふと立ち止まった。玄関の前の庭とも言えない空地には、三人の子供たちがいて、焚き木にするらしい柴をくくっている。彼らは立ち止まった喜蔵を見ると、その場に立ち上がり黙ったまま辞儀をした。子供なりに身分の違いを感じ取ったのだろう。喜蔵はうなずいて微笑みかけたが、気持ちを奪われていたのは礼儀正しい子供たちではなかった。

彼はまたその梅の木に眼をやった。日溜まりにぽつぽつと白い花をつけているのは早梅である。低く枝を広げた木は家の脇の畑の奥にあって、女が小枝を切ろうとしているところだった。四十は過ぎているだろうか、まだ黒髪の豊かな、小柄な女だった。

ややあって、彼は何かに押されるようにして枝折戸(しおりど)から中へ入っていった。子供たちが驚いて彼を見つめていると、じきに女も気付いてこちらを見たが、やはり驚いたようすで動かなかった。小さな畑を挟んで、二人はお互いを凝視した。

(しょうぶではないか……)

彼は震える口の中で呟いた。幻を見ているような驚きにさらされながら、こんなところにいたのかと茫然とする気持ちだった。だが見つめるそばから、他人の空似ではないのかとも思った。いずれにしても確かめないわけにはゆかない。彼は眼を凝らして、そこから見える女の顔に二十三年の変容を探した。

女も同じ気持ちではなかったろうか。日溜まりの中で身じろぎもせず、眼だけを光らせてこちらを見ている。

彼女はしばらくためらっていたが、一度うつむいた顔を上げると、思い切ったらしく、その手に一朶(いちだ)の梅を持ったまま畑の隅の小路を歩み寄ってきた。よく見ると、足下の畑には何か小さな青い芽が出ている。じきに女は喜蔵の前に立って、深々と辞儀をした。

「子供たちが何か粗相でもいたしましたか」

「いや、別に……あなたの御子ですか」

「いいえ、孫でございます」

「孫？　すると、あなたは……」

喜蔵は言いかけて無躾に気付くと、急いで釣竿と魚籠を下に置き、被っていた菅笠を取った。女は間違いなくしょうぶだったが、ちらりとも顔色を変えなかった。彼女は見ず知らずの男にでも言うように、わたくしどもに何か御用ですか、と訊ねた。

「もっとも、御用と仰せられても何のお持てなしもできませんが……」

喜蔵はじっと女の眼を見た。小さな顔はむかしよりもふっくらとして目尻に皺もできているが、くるりとした眼は、やはりしょうぶのものである。歳月が女子の顔を変えるとしても、面影は眼に残るし、他人がそこまで似るはずがないと思った。

それにしても子供たちの祖母にしては若すぎる齢だった。彼らが孫だとしたら、しょうぶはこの家に後妻に入ったのかも知れない。あれからどういう道を経てそうなったのか、自分に訊ねる資格はないと思いながら、彼は息をつめてもう一度見つめた。

「この顔に見覚えはござらぬか」

「………」

「高村と言えば、お分かりか」

「これは、ご家老さま……」

女はすぐにそう言った。喜蔵には懐かしい眼を見開いている。だがそれは下手な芝居のようであった。女の頬が微かに赤く染まるのを、彼は見逃さなかった。

「そう呼ばれたのはむかしのことで、いまはただの隠居でござる、それより、あなたはわしの知る人によく似ているのだが……」

「いいえ、お人違いでございましょう」

女はきっぱりと言った。

「ご覧の通り、ここは足軽の家で、主は御籾蔵の番人でございます、そのようなものが、ご執政を務めた御方のお知り合いであるはずがございません」

「しかし、わしを知っていた……」

「それは、高村さまだとお名乗りになられましたから……前のご家老さまの御名を知らぬものはおりません」

そつのない受け答えに喜蔵が話の接穂をなくすと、女は棒立ちになっていた子供たちへ家の中に入るようにと指図した。すると彼らは丁寧に喜蔵に辞儀をしてから、手に手に柴の束を持って歩いていった。

「ここはご城下を外れて滅多に人も通りませんが、その分、静かで家族が身を寄せ合って暮らすにはよいところです」

彼女は取り繕うように話し出した。張りのある若々しい声も、訥々とした口調も、やはりしょうぶのものであった。

「冬が終われば林も緑になって、子供たちは蕨や蕗の薹を採りに出かけます、林の中には古い祠があって産土神が祀られています、お参りするのはわたくしと子供たちだけでしょうが、手を合わせるだけで心が慰められます、そこから細い道が木立を縫って林の北側へ伸びていて、暖かくなるとよく散歩をいたします、林の北側から逆井川の川上へ出ると、遠い山脈が見えますし、その少しさきの百姓家では野菜の種や苗を分けてもらいます、田植えの時期には子供たちが手伝いにゆき、稲刈りのときには藁をもらいにゆきます」

「………」

「そうして人との小さなつながりを頼りに暮らしておりますが、貧しいつながりはたやすく切れることはありません」

その言葉は喜蔵の胸を突き刺したが、一方では冬ざれのような心に希望をそそぎ込まれたような気もした。いずれにしても、女はそれとなく自分が幸福であると言おうとしたようである。

貧しい暮らしの中にも幸福は生まれる、と虚勢で言ったものか事実なのか、曖昧な微笑を浮かべた女の顔からは分からない。けれども、そのむかし、ひとことの恨みも言わずに去ったように、いまも潔さと強さを兼ね備えていることは確かだった。喜蔵は彼女の家に土足で上がり込んだことに気付いたが、すぐには去り難い思いで訊ねた。

「梅がお好きですか」

「はい、とても……」

「しかし、早く咲くものですな」

「あそこは家の陰にならず、日当たりがよいせいでしょう、ここに住みはじめたときに苗木を植えましたから、かれこれもう二十年になりましょうか」

「二十年？」

「長いようで、あっという間でございましたが、これから二十年があるとしたら、もっと短く感じるでしょうね」

「そして、梅だけが残りますか」

「はい……」

でも、それでようございます、と女は言いながら喜蔵を見上げた。いま出会ったばかりの男に向けるにしては、感情のこもった眼差しだった。しかも微かに微笑んでいる。喜蔵は救われた思いで辞儀をした。それから魚籠と釣竿を持って枝折戸のほうへ引き返した。

「悪い癖で勝手なことばかり申し上げ、失礼をいたしました」

道に出て、そう言うと、あとからついてきた女はうつむいて唇を噛んだようだった。だが、すぐにくるりとした眼を上げると、枝折戸のそばから一、二歩、歩み寄ってきた。

「よろしければ、お持ちくださいまし」

と女は言った。若いころと変わらない声であった。差し出された枝には一重の白梅が数えるほど咲いているだけで、あとは小さな蕾だったが、花からは強い香りがした。

喜蔵は受け取った枝を眺めながら、終の住処となるであろう荒屋で、梅を活ける女の姿を思い浮かべた。

(すまなかった……)

彼は言おうとして、言葉の虚しさに気付くと、梅の礼だけを述べて歩き出した。彼にとってしょうぶがそうであったように、早梅は何もない季節に咲いて、まだそのさきがあることを告げているかのようであった。思いがけず女の暮らしを覗き、変わらない優しさに触れたことで、喜蔵の胸にも微かな光がさしている。長い間、縛られてきた心の貧しさから、ようやく解き放された気分だった。

(そうだ、新長屋へ寄ってみようか……)

彼は古い友人を思った。玉井助八を思い出したのは、急にその眼で組屋敷の暮らしを見たくなったからである。いつのころからか助八とは疎遠になっていたが、いまも寺社方に属し、子沢山で、梲が上がらないことは知っていた。住まいもまだ寺町裏にあるはずである。長い歳月を経ても、そこには変わらない人と暮らしがあるかも知れなかった。

少しして振り返ると、道に女の姿はなかったが、冬の陽が雲間からこぼれて、あたりは明るくなりかけていた。見えている林が緑になるころ、女は散歩をはじめるらしい。訪れる人もいない古い祠に手を合わせ、小さな畑のために百姓家へ種をもらいにゆく。贅沢に馴れたものにとっては哀れとしか思えぬ暮らしだが、彼女は決して苦にはしないだろう。

しょうぶの暮らしに二度と踏み込んではなるまいと思いながら、手にした梅の香を嗅ぐうち、喜蔵はいつになく穏やかな気持ちになって、冬枯れの林から去っていった。

初出誌

生きる　「オール讀物」　一九九九年五月号
安穏河原　「オール讀物」　二〇〇〇年九月号
早梅記　「オール讀物」　二〇〇一年八月号

略歴／一九五三（昭和二八）年、東京都生まれ。千葉県立国府台高校卒業後、国内外のホテルに勤務。九六年、「薮燕」でオール讀物新人賞。九七年、「霧の橋」で時代小説大賞を受賞。〇一年、「五年の梅」で山本周五郎賞を受賞する。著書に「喜知次」「椿山」「屋烏」「蔓の端々」「かずら野」がある。

生きる

平成十四年一月三〇日第一刷
平成十四年七月二五日第五刷

著者　乙川優三郎
発行者　寺田英視
発行所　株式会社文藝春秋
東京都千代田区紀尾井町三―二三
電話（〇三）三二六五―一二一一
印刷所　凸版印刷
製本所　加藤製本

定価はカバーに表示してあります。
万一、落丁乱丁の場合は送料当社負担でお取替致します。小社営業部宛お送り下さい。

ISBN4-16-320680-9

浅田次郎

壬生(みぶ)義士(ぎし)伝(でん)（上下）

「死にたぐねえから、人を斬るのす」壬生浪(みぶろ)と呼ばれた新選組にあって、ただ一人庶民の心を失わなかった吉村貫一郎の非業の生涯

山本一力

あかね空

希望を胸に上方から江戸へ下った豆腐職人の永吉。味覚の違いに悩みながらも恋女房に助けられ表通りに店を構える。傑作人情時代小説

高橋直樹

裏返しお旦那博徒

名家に生まれながら侠客として名を馳せた吃安(どもやす)こと安五郎。島抜けしてまで故郷にこだわり続けた男の気概とは。気鋭が描く博徒小説

乙川優三郎

椿山

城下の子弟が集う私塾で知った身分の不条理、恋と友情の軋み。才次郎は、ある決意を固める。表題作など、詩情あふれる四篇を収録

文藝春秋刊

文春文庫版も有り